辛丰年文集 卷三

请赴音乐的盛宴

辛丰年 著

严锋 编

(f) SMPH
上海音乐出版社

出 版 说 明

辛丰年（1923—2013），本名严格，江苏南通人。1945 年开始在新四军从事文化工作，1976 年退休。20 世纪 80 年代以来，辛丰年为《读书》《音乐爱好者》《万象》等杂志撰写音乐随笔，驰誉书林乐界。著有《乐迷闲话》《如是我闻》等书十余种。先生早年因投笔从戎，未能完成初中学业，后读书自学成癖，并迷上音乐，晚年转向文史阅读。终其一生，辛丰年是一个彻底的理想主义者，一个纯粹的人文主义者，一个真理与美的追求者。

2018 年，上海音乐出版社成功出版"辛丰年音乐文集"六种。时隔五年，适逢先生百年诞辰，本社以音乐文集为基础，再收入辛丰年信札、随笔合集一种和译作一种，总计八种。

音乐美好，人生美好。纪念先生美好而正直的一生。

上海音乐出版社有限公司

2023 年 7 月

像音乐一样美好

无论在他生前身后，我想到父亲的时候，最常有的感觉是惊奇：世上怎么会有这样的人，世上竟还有这样的人。我不是感叹他的学问有多好，文章写得有多好，而是惊讶还有这么好的人。

我当然知道，作为一个儿子，用"好人"来形容自己的父亲，这没有什么意义，在今天更是如此。在一个假道德、非道德、反道德、后道德混杂的时代，对道德的冷感和犬儒态度是可以理解的。但是，我对道德理想主义依然抱有信念，因为我身边确实有一个真实的例证。

这不仅是我个人的看法，也是接触过他的所有人的印象。中国人有替他人扬善隐恶的习惯，通常对文化老人会有溢美之词，但是我看别人写他的文章，深知对他的所有美好回忆都是真的，而且只是沧海一粟。

惊讶之余，必有疑惑。我常常想，他那样的人究竟是怎样炼成的。是父母教的吗？好像不是。他的母亲很早就去世，他的父亲是一个威严而粗暴的小军阀，民国时代做过上海警备司令兼上海警察厅长和上海卫生厅长——我小时心目中标准的"坏人"。是学校教的吗？他初二就肄业了，其后全靠自学。

那么是另一个巨大的熔炉吗？他确实像同时代的许多青年，响应了时代的强烈呼唤。对于家族，父亲有一种根深蒂固的羞耻感和赎罪心，这种原罪的意识，从 20 世纪 40 年代接触革命思想，到"文革"中的吃尽苦头，一直到发家致富光荣的改革开放的今天，他从来没有改变过。

还有家国之耻。父亲说，他当年跑到解放区，是因为家不远处和平桥就是日本宪兵队，每次经过那里都要向日本人鞠躬，感觉非常屈辱。他总是绕道跃龙桥，避开日本人。他也不喜欢蒋介石，因为常去邹韬奋的生活书店看进步书籍，特别在青年会图书馆（在大世界隔壁）看了华岗的《1925—1927 中国大革命史》，痛恨蒋的屠杀，从此对国民党幻灭。

但是最直接的动因，是一本叫《罪与罚》的小说，作者陀思妥耶夫斯基。2010 年的时候父亲有一天打电话说他把这本书的英文版又看了一遍。他还告诉我，当年他投身新四军，最初不是因为读了马克思的书，而是因为震撼于《罪与罚》呈现的罪孽。无论如何，推动父亲一路走来的是一种对人间的绝对正义的追求，一种刻骨铭心的悲天悯人的情怀。他是一个无可救药的人道主义者。

还有音乐，终生自学，终生挚爱。战争年代，父亲在部队所到之处，会寻访当地音乐人，向他们请教和借乐谱抄写。在他的行军背包中，还放着德沃夏克《自新大陆交响曲》的总谱。原江苏文联秘书长章品镇先生是他的革命引路人，1945年他们一同从上海坐船到苏中分区参加新四军。两人相约仿效巴托克，随军每到一处，即以纸笔记录当地民歌。我曾见他们在异地交流采风的信件。对于他们那一代的文艺青年来说，革命是最浪漫的诗篇；对父亲来说，革命是最宏伟的交响乐章。

　　雨果在《九三年》中说："在绝对正确的革命之上，还有一个绝对正确的人道主义。"我父亲的一生，实践的就是雨果的这句名言，并且再加一句：在这两者之上，还有一个绝对美好的音乐。

严　锋

目　录

第三辑　乐人点滴

开场白

自作多情的"邀请者"并不是搞音乐这一行的，他只是个严肃音乐（也即所谓"古典音乐"）的爱好者，一个大乐迷。中国古人说得对，"独乐乐不如众乐乐"！他怕听瓦釜雷鸣，他愿同朋友们奇文共赏。所以，不怕人笑话他说外行话，做一个自告奋勇的向导。

所谓"严肃音乐"并不是板起面孔令人昏昏欲睡的音乐。但的确如已故的美国乐人科普兰所说，严肃音乐绝不是一张坐上去很舒服的安乐椅，也不可能躺在安乐椅上，无所用心、无动于衷地听。

"严肃音乐"一词，译为"认真的音乐"似乎更恰切些。它是作曲家有动于衷、不能已于言、认真创作出来的音乐，言之有物的音乐。

然而，倾听这种音乐却是一件认真严肃的事，绝非因为闲得发慌，才要以无聊之事打发无聊之生。

人而无乐，不知其可也！一个有知识、有感情、有思想的人，如果不读乐，不知乐，可以说是枉生了一双耳朵。有位朋友说，自从他发现了严肃音乐，才知道以前的好多年是白白地过去了！

读乐有味，其味无穷！

如果你有兴趣进入"乐土"，愿以此书助你一臂之力。

第一辑

名曲浩如烟海，怎么选？

必读之曲

自有唱片以来，究竟有多少古典音乐作品给录制下来，每一作品又有多少不同的版本？至今没能见到什么全面的调查统计。恐怕也是没办法查清的吧？不过仅从以下几种资料来看，也就不难想见这种音乐文化的累积是何等的庞大惊人了。

1929 年，英国哥伦比亚唱片公司一个月之中就生产了四万张唱片。那还是每分钟七十八转的快转粗纹老唱片时代。

到了 1936 年，唱片已进入了慢转密纹片时代。据美国对已出版的 LP[1] 的一项统计，共计有两万五千种。仅仅这一册唱片目录便有二百八十页之多！其中参与的演奏者包括了钢琴家四十二人，小提琴家一百六十六人，歌唱家两千三百三十人，还有五百九十支管弦乐队，九百零三位指挥家，二百二十三家歌剧团，等等。

1　Long play，译为黑胶唱片，是立体声黑色赛璐珞质地的密纹唱片。

另一份 20 世纪 60 年代的美国唱片目录也很引人注目。其中收入的歌剧作品有二百七十五部，芭蕾音乐二百四十部。像巴赫所作的康塔塔，应该说不算是很普及的作品，居然也有八十七部，这数字占巴赫所作康塔塔总数的三分之一。

其实，即使在粗纹唱片时代，从巴赫到德彪西，最重要的经典之作几乎都已经收进了唱片。其中包括了那些虽然烜赫非常却绝不通俗的作品。例如巴赫的《十二平均律钢琴曲集》，即所谓的钢琴家的"旧约圣经"。而贝多芬的三十二首钢琴奏鸣曲，所谓的"新约圣经"，居然也在出版发行之列，其中还包括了那篇庞大的登峰造极之作"作品 106"。这部作品，钢琴家敬之如神，演奏一遍要流一身大汗，而真正能倾听到曲终不会打瞌睡的乐迷也是像通读《尤利西斯》者那样，"多乎哉？不多也"的！

第二次世界大战以后，到了 LP 唱片的黄金时代，一张片子中的音乐信息量要比老式唱片膨胀好几倍。可是不但有成套出版的重要作品，而且连这也似乎不够味，大出某一作曲家的全集也蔚为风气。例如海顿的交响曲全集，共收他所作的一百零四部交响曲。莫扎特交响曲全集没有这么多，这自然是因为天才短命，否则肯定不止四十一部的。还有莫扎特钢琴协奏曲全集，把他写的二十七部精彩之作，包括人们难得听到的早期作品，都来个一网全收了。

岂仅前代的经典作家是这样，当代的先锋派大师们的全集也出来了，即连普通爱好者敬而远之的无调性、多调性音乐的大师们，也有全集发售，供人享受。

最为可喜，却也不免令乐迷感到心惊的，是20世纪70年代之际，共有十二巨册的贝多芬全集也问世了，内有立体声唱片七十六张、磁带七十盒。到1978年，舒伯特全集也接踵而来。更庞大的全集是1991年发行的莫扎特全集，一共有一百八十张镭射唱片。这是信息量更大的CD时代。从一些专事介绍唱片的书刊上可以知道，市场上提供给乐迷们的古今名曲，少说也在一千种以上。（须知一部歌剧、一部弥撒曲也算一种。像瓦格纳的四联剧《尼伯龙根的指环》的全套唱片，那是要花二十小时以上的时间才听得完的！）

前面讲出版贝多芬唱片全集令人又喜又惊，喜是无须解释的，惊从何来？那是因为，短促的人生，哪来那么多时间和心力来听音乐？音乐文献浩如烟海，乐海无涯而人生苦短，怎不叫人徒唤奈何！这恐怕是真正有心赏乐的人们必然会有的感慨。

如果是一个对于听音乐还经验不多的人，手捧一部"CD圣经"，走进唱片店去，目迷五色，耳迷八音，面对着古往今来的名曲，真是不知从何听起了。

读乐犹如读书。天下可读的好书，我们一辈子也读不尽。于是许多人指望学者们推荐"必读书"。清末曾经有人编了《书目答问》这样的书。后来又有人向学者们征询"必读书目"。现代的读乐者碰到了更大的难题，音乐信息爆炸，所以也不可不考虑"必读曲目"这问题了。

虽说开卷有益，可是把时光和精神过多地耗在一般的作品上，必致妨碍了对更值得反复倾听的杰作的精读。显然，读乐不可不有选择，与其听十部平庸的交响音乐，何如用这时间再听十遍贝多芬的《第九交响曲》，尽管你已经听过好多遍了。

进音乐院校攻读音乐这门专业的学生，他们自应有他们的必读曲目。在我辈爱好者，不妨有不同的要求与选择。

我们可以有几种曲目。其一便是必读之作的曲目，其次是可读的。

定一个范围：从巴洛克到印象派

对于一般爱好者，可以定一个范围，就是从巴洛克时代到印象派的音乐。再具体一点，便是从巴赫到德彪西。凡是比巴洛克古的，比德彪西新的，暂且放到以后再去了解。如此，我们的选择不致茫无边际，而且在听赏中也有利于做到前后相承、左右联系，便于从比较中辨其异同，以获得对音乐文化发展的历史感与风格感，这会大大丰富我们读乐的感受与理解，也就不会随随便便地杂食了一大堆东西而仍茫茫然如堕烟海了。

从贝多芬开始，再向前延伸，向后返顾

按照从巴洛克到印象派这条总的线索来听，是否一定要按着音乐史的先后一段一段地听下去呢？那样做当然未尝不可，可以及早地建立起乐史的概念；但更可取的办法是首先从贝多芬的作品开始。以他的作品为中心，再向前延伸，听浪漫派、后浪漫派、民族乐派和印象派；然后向后返顾，听海顿、莫扎特、巴赫、亨德尔。这是因为，贝多芬在近代音乐史上是个承先启后、继往开来的人物，是音乐文化潮流中一大枢纽。认识了他，熟悉了他，再去听他的前人与后人之作，就会更容易感受到乐文化之流的汪洋恣肆，蔚为大观。何况贝多芬的确是一座摩天的高峰。当然他并非唯一的高峰，与之并肩的还有巴赫和莫扎特。但由于时代与社会等因素，贝多芬这座高峰更容易为我们现代人所感受、理解，更能吸引我们去瞻眺，引起我们的激动与深思。

以九部交响曲为中心

贝多芬写了那么多作品，要从何读起呢？无疑的是要以他的九部交响曲为中心了。自从贝多芬写了九大交响曲（大，指其气象与意境之阔大伟观，其实在九部当中也有《第八交响曲》那样篇幅不长的作品），后来的作者像是对"九"这个数字也产生了一种敬畏感，有的作曲家写交响曲，甚至不敢超过这数目了！

　　然而即使是许多十分喜欢听贝多芬作品的乐迷，怕也不见得对这九部交响曲都那么熟悉、都非常喜爱吧？而且我们也不可能在不太长的时间里便赏遍那九峰中的奇景，领略其气象万千。真正要深入其境，即使对于专门研究贝多芬的音乐家来说也是要穷毕生之力的。

　　所以我们可以从这九部交响曲中挑出特别重要的几部来先读。这也正是一百多年来世界上千千万万贝多芬迷已经不约而同地公选出来的那几部：第三、五、六、九，也即《英雄》《命运》[1]《田园》《合唱》这四部交响曲。

　　在这几部交响曲之中，人们听起来最容易入门也最感亲切的，无疑是《田园》了。《英雄》由于它有个同法国大革命和拿破仑联系在一起的佳话，对许多人便自然而然地产生了一种吸引力。实际上，要想真正把这部作品听出头绪也听出些意思来，是需要相当认真地反复多次倾听的。至于《命运》，虽然那整部作品的主旨、构思都似乎不难把握，但也绝不像许多人以为的那么好理解，只有严肃地听过许多遍之后，也许才可能发现更多的意思，引发更深的思索。再说到《田园》，相对其他几部而言诚然是平易近人，可是我们也绝不可把它来同一般的"音乐风景画"等量齐观。如果比作绘画的话，它也是像文艺复兴时代的绘画杰作那样耐玩的。

1　即《命运交响曲》。之后出现的《田园》《合唱》等均为曲名简称，此后不再一一注释。

以上这三部作品听得相当熟悉，熟到了一听见上文便在脑海里自动准备好迎接下文的程度。（卢那察尔斯基是一位渊博的通人，他形容得绝妙，说这犹如水在沟渠之中自在地流动一般。）之后，我劝你再去倾听另外的五部交响曲，即第一、二、四、七、八。在已熟悉的前几部交响曲的对照之下，你就会发现新天地。你会惊叹不已：原来贝多芬胸中还有那么多话要说！

他的《第一交响曲》尽管还显得有毛头小伙子初涉人世的稚气，但已从他的前人海顿、莫扎特的身影下走了出来，而且跨出了好几大步了。等你以后听了莫扎特的交响曲之后就会对此有深刻的感受。

《第二交响曲》便完全是这位波恩英俊少年的自家面目了。这部交响曲（特别是其中的前两个乐章）中的力与美，犹如江河般奔腾向前的那股气势，叫人不能不想起他所处的那个壮丽的时代，那个风云扰攘"狂飙突进"的欧洲。从音乐中可以看到一个英气勃勃、胸中有无限激情只待倾吐的青年贝多芬。在九大交响曲中，《第二交响曲》也许还是不少听众尚未充分发现其美妙的一部作品。《第四交响曲》中细腻而又深沉的抒情味，《第七交响曲》的酒神气质，《第八交响曲》中的幽默口吻，这些都是比较容易感受的。然而如想对这几部作品有深入一层的领略，仍然有待于反复倾听，也有赖于你在文艺、美学方面的眼界的扩大与知识趣味的丰富。即便不谈内容，仅从乐艺欣赏的角度来说，它们之中也有发掘不完的迷人的细节。

一个乐迷，假如他已经用心倾听了贝多芬的前八首交响曲并有所感受，是否就可以说他已经领略到贝多芬的伟大深刻了？回答是：远远不够！因为，还有一座俯视群峰，"一览众山小"的最高峰，西方交响乐文化中的最高一峰。如果我们无缘认识它而不幸死去，那对于一个乐迷来说仍然是大可悲哀之事！反之，即使你终其一生没听多少好音乐却有幸见识了《第九》，那么在临终之际也可以在心里默唱着《欢乐颂》，想着那篇极其真挚、崇高的慢乐章，含笑而逝，也不虚此生了！

生于今日的乐迷无论如何不幸，至少在可以饱听《第九》一事上远比 19 世纪的人幸运，甚至可以说我们虽是凡人却比那时的音乐家还要幸运。今日人们可以天天听，一日听几遍，尽情享受《第九》赐予的深沉的震撼，体验它引发的精神的高扬，灵魂的战栗、沉思、憧憬、渴望。而可怜的 19 世纪人，他们是生于唱片时代之前的人，他们只能上音乐会去听《第九》。可是音乐会里虽然经常翻来覆去演奏许多平庸但却时髦的作品，《第九》这样的演奏起来吃力不讨好的伟大作品则是很难得有机会一演的。即使是在德国莱比锡那样的爱乐之城，即使有门德尔松那样的大师为提倡高尚音乐文化，尤其是巴赫和贝多芬的作品不遗余力，当地也有格万豪斯乐队那样完美的乐队：尽管有这一切，当年那地方要听《第九》也是难。演奏《第九》是难得的盛事，有些人甚至十年中也难躬逢其盛！所以向往这部伟著的爱好者只好在自己家里的钢琴上弹弹它的钢琴改编谱了。就连托尔斯泰与其爱乐且多才的夫人也不得不如此。

所以，要用简略的字句来介绍这篇人间绝唱之美妙，是不可能的。当你诚心诚意地顶礼膜拜之后，也自然会体会到，想用文字语言来谈论《第九》，不免是多余的。

六首"独响乐"

贝多芬音乐的宏伟大厦，是由三座殿堂构成的。九部交响曲只是其中之一。第二座是所谓的钢琴家的"新约圣经"，三十二首钢琴奏鸣曲。这种音乐虽然只用一架钢琴来表达，表面上看来似乎远不及管弦合奏的交响乐那么声势浩大，其实不然。无论以构思的深刻、情思的丰富、表现力的强大来说，都叫人觉得贝多芬钢琴奏鸣曲也是一种交响乐。不过，它是由一个人一双手在一架钢琴上弹奏出来的交响乐。难怪也曾有人要把奏鸣曲这个词译成和交响乐对称的"独响乐"了。这种一人一琴上独唱独白，而又完全能向一支大乐队挑战并与之抗衡争雄的音乐，也不妨认为它比起交响乐来是更难能也更可贵的吧！此即所以自从莫扎特、贝多芬与舒伯特三家以来，在钢琴奏鸣曲这个领域中仍有众多的大师在努力驾驭这体裁，不够大师水平者炮制的钢琴奏鸣曲更是汗牛充栋，然而能够追上上述这三大家之作，可以收入"必读曲目"者竟是寥若晨星了！够得上贝多芬的奏鸣曲水平的，简直想不出来。钢琴奏鸣曲竟是从此衰微了！巨人不再出，巨人的"独响乐"自然也就不可得而闻了！

要通读贝多芬的九部交响曲，我们还是有时间办到的。可是一般的爱乐者恐怕很少有人通读过他这三十二首奏鸣曲吧？要读这样深度不一、可读性也各有不同的一部"新约"，的确是谈何容易！更叫人为难的还是时间与精力的大问题。我们还得匀出时间上贝多芬大厦里其他展览厅去巡礼！何况在这大厦之外还有更广大的"乐土"等着我们去观光呢！在这三十二首奏鸣曲中，有一部分虽然其价值大大超越其同类之作，我们只好暂且割爱，也不收入"必读曲目"了。这里指的是贝多芬晚期的几首奏鸣曲，像作品 101、106、110 等。这些都像杜甫诗中所谓"庾信文章老更成"之作，因其声名煊赫令人敬畏，往往只呼那个作品号码就知所指为何曲了。其中最了不得的是"106"。它也是音乐文献中少见的庞然大物。演奏技术的要求固然是高难度，诠释演绎之不易更不用说了。并不是每位钢琴家敢轻于一试的。听这几部贝多芬暮年之作，听者要进入角色也是艰难的。哪怕你已经熟悉了他的前期之作，猛一听这些也必然感到惊诧：怎么回事，熟悉的大师成了陌生人啦？这也正好可以说明贝多芬的伟大，他总是勇猛精进，敢于自我变法！

全部通读三十二首奏鸣曲，恐怕只能作为一个美妙的悬念，留待你退休之后的余年去努力实现了。其实，从 19 世纪以来，人们也只是从其中挑出五六首来经常听听也就感到相当满足了。

究竟选哪几首？时代有变迁，听众口味与水平有变化，再加上演奏家和乐评家在"导向"上起的作用，选法不一。有时候也有某一首特别受人宠爱的情况。例如一首比较早期的奏鸣曲，即《降 A 大调钢琴奏鸣曲》，其中的一个乐章是葬礼进行曲，上个世纪一度大为流行。但今天，似乎没有人特意挑出它来演奏或欣赏了。

经过漫长时光与广大爱乐者长期反复"筛选"，终于形成了某种"同感"，人们的兴趣集中于以下这几首奏鸣曲：《悲怆》《月光》《暴风雨》《热情》《黎明》与《告别》。选编的乐谱和唱片的流行反映了公众这种共同的选择。

这几首作品中，最为广泛流传的，不消说是《月光奏鸣曲》了。当你尚未开始追求音乐女神之前，一定早就听说《月光》，神往于那构思虽俗而颇妙、很能引发联想的音乐童话了。真难统计到底有多少男女是在这篇音乐童话的勾引下走上了爱乐的天路历程的！编造这个弥天大谎的诗人雷尔希塔伯，是应该领取爱乐协会的金质奖章，还是要受到造谣欺人的谴责呢？

《月光》这一被附会与妄加的标题和那篇捏造的故事把此作装扮得似乎很容易理解了，实则在一般欲求甚解者的耳中它绝不是明白易解的。徐缓的第一乐章，技术上看似并不难弹，许多爱好者都可以到键盘上去自得其乐地奏弄一番。听乐者如要印证那篇故事中的描写，这个乐章也最合适了。其实那全曲的三个乐章都包含着一种经得起不断开掘的丰富性与深刻性，而其意象和意味又可谓人听人殊，很不一致的。

《月光》中短得不消三分钟便可听完的小步舞曲（实质是谐谑曲）乐章，也许可以认为比它的前后两个乐章更难索解，也更耐寻味。自从李斯特意味深长地称这一乐章为"两个深渊之间的一株小花"以后，这株小花的异样的魅力是更加引人注目了。人们知道，在全部贝多芬钢琴奏鸣曲中，钢琴大王公开演奏得较多的只不过屈指可数的几首，而其中又以《月光》弹得最多，所以他的话并不是信口说说的。

除了《月光》，一般人最熟悉的就是《热情》。比较不大为人所注意的是《暴风雨》。这是极可惜的。此作同莎剧《暴风雨》其实没有什么联系，听赏时不必牵强附会，当一篇纯音乐作品来听就好了。你可以从曲中感受到一种苍凉的情怀，心事浩茫的阔大而深沉的意境。要了解贝多芬的音乐，这首《暴风雨奏鸣曲》是不可不反复倾听的。

登堂还须入"室"

贝多芬宏伟大厦的第三个部分是他的室内乐作品。读乐经验还不多的爱好者，来到这一室很可能会踟蹰不前，升了堂不一定能入室。我们知道，室内乐是一个特殊的王国，这类作品主要是纯音乐，大都朴实无华，引不起人一见倾心，甚至冷峻枯淡，似乎有一种拒人于千里之外的派头。因此一般爱好者对室内乐往往是没有多大兴趣的。但如果想真正认识贝多芬的博大精深，那又万万不可对他的室内乐作品一无所知。不过这也不能性急，须得慢慢来的。

贝多芬晚期写的五部弦乐四重奏，不但是他全部室内乐作品中炉火纯青之作，也是他整个音乐事业中的里程碑。每一个热爱贝多芬音乐的人，都会把倾听这五首最后的四重奏当作自己读乐生涯中一个崇高的目标来努力趋赴。即使仍然不能理解，然而，正像中国古人说的："高山仰止，虽不能至，余心向往之！"

无奈的是当你年纪轻轻，对历史、人生还阅历甚浅的时候，要理解他这种烈士暮年壮心未已的内心自白，几乎是不大可能的。这也无须着急，稍安毋躁。可以留待他年再去品味。反正读贝多芬之乐乃是真正的乐迷终生的追求。

我们不妨先取他中期之作来读。例如作品 59 那一组中的《F 大调四重奏》，还有那首别名《竖琴》的《降 E 大调四重奏》，都还比较易解又极其可爱。听了这些，便可懂得贝多芬的音乐语言是变化莫测的。交响乐、奏鸣曲好像是他向大庭广众的演讲，大声疾呼，雄辩滔滔；在四重奏里，又似乎可以听见他在自己家里跟他的知心朋友亲切交谈，而那又是何等严肃、高雅深刻的智者的言谈笑语！交响乐、奏鸣曲、室内乐，都是巨人贝多芬毕生的事业，贯穿于他的整个生涯。初出波恩之际创作的《第一交响曲》、早期的钢琴奏鸣曲与室内乐作品，都像是青年贝多芬的自画像，英气逼人；《第九交响曲》、晚期的几首奏鸣曲与室内乐作品，则是经历了时代的变幻，饱尝了人世辛酸之后发出的有声的沉思默想。

我们知道，作品繁富、数量大大超过了贝多芬的大师不止一人，例如巴赫、亨德尔、海顿和莫扎特。不过都不能像贝多芬的作品这样风格演变分明犹如自传，同时也像他那个大时代的史传般，记录与展现出巨人与时代的面影、心声。这当然也是贝多芬的作品更加激动人心引人深思的一大原因。

序曲与协奏曲

除了以上这三个方面，应该进入"必读曲目"的作品还有很多。首先，是那些和他的交响曲有相通之处的序曲与协奏曲。

音乐史上一个史无前例同时也是到现在为止还绝无仅有的例子，就是贝多芬为他写的歌剧《菲岱里奥》写了四首序曲。并不雷同，而无一首不是杰作。这四首中，《莱奥诺拉序曲》

第三号是杰作中的杰作。它虽然叫作序曲，实际上是一篇非常精练而又光辉灿烂的小交响曲。它的交响性、戏剧性真是令人惊叹。同时它又极富那个伟大时代的时代感，表达了贝多芬的强烈爱憎、烈火般的正义感和人道主义精神。我们对这部作品不但必读，而且应该反复多读，让你的心与之共鸣，才不辜负天壤间这篇奇情壮彩的大文章！

还有一部贝多芬的"小交响曲"也必读，即《爱格蒙特》序曲。它比前一曲更短小，但同样是一种密度很大的浓缩了的音乐，而其可以释放出的能量却是可惊的。

另外一种可以、也应该当作交响曲来读的作品是贝多芬的协奏曲。他在协奏曲方面写得不多，但都是大手笔。18、19世纪大为风行的各种器乐协奏曲，品类不齐，良莠杂出。有些协奏曲是浮华的炫奇斗胜之作，只堪娱人耳目于一时（"娱目"者，独奏家卖弄技巧的动作与表情热闹有趣），不值得认真再听的。它们属于"可听可不听"那一类音乐。贝多芬自然不屑与此辈为伍。

贝多芬虽然从小练过小提琴，但演奏水平并不高。（我们是从他的学生、朋友的私下议论中得知这一点的。）然而他写的《D大调小提琴协奏曲》却有极高的价值，也许可以认为是小提琴协奏曲这一类乐曲中最杰出的作品。此曲虽然作于他声名鼎盛之时，照理应该受到听众的欢迎，结果不然，当年反应冷淡。这正是因为它"不入时人眼"，对于当时醉心于炫技表演的演奏家和听众来说，这样朴素无华的作品是不讨好的节目。只是到他身后，其内在价值才逐渐显露出来，终乃成为一部协奏曲中的宝典，也是考验一个演奏者够不够大师水平的试金石。

只要你不那么人云亦云地爱听那些华丽花哨的音乐（协奏曲最容易成为此类音乐的用武之地），你就会从这首质朴而又高雅、似平淡而实含深情的作品中获得丰富的感受。而且由于它让你感到了贝多芬坦怀相示的真挚之情，你可能会因此便从心里修改原已形成的严峻的巨人肖像，觉得他是何等令人可亲了！

别人作的小提琴协奏曲，由不同的名手来演奏，效果虽有出入，还不致有明显的差别。而此作便不同了。不同的演绎，质量的上下是更容易被察觉的。门德尔松的《e小调小提琴协奏曲》，灿烂之极，谁不为之心醉！然而假如你听了又听，不爱惜你的新鲜感，那么它的美妙也会像鲜花那样褪色，珍珠那样发黄，非得搁置一段时间再听才能重新唤起美感了。贝多芬这一曲则相反，初次见面，不免要觉得平淡无奇，越听却越觉得其中有汲之不尽的情与美。

有人说，贝多芬这部协奏曲其实是一部加进了小提琴助奏的交响曲。那么对他的钢琴协奏曲也可作如是观，也应该当作加了钢琴的交响曲来听。这也就是说，不要把注意力过多地放在钢琴上，而要十分留心其中独奏乐器与管弦乐之间的交响。

　　莫扎特的钢琴协奏曲之美妙，几乎是不可超越的。贝多芬的五部钢琴协奏曲不但进一步发挥了音乐的交响性，而且显示着他独有的宏大气魄。在其五部作品中，历来的演奏者与听众一般都偏爱那首诨名"皇帝"的第五首，即《降E大调钢琴协奏曲》。论内在的艺术质量、音乐思维的深度、诗意的含蓄，却是第四首更胜一筹，可惜许多人反而对它颇为生疏。这两部协奏曲都应列入"必读曲目"。将这两首写作时间相去仅四五年的作品对照着听，真叫人从心底里赞叹贝多芬不愧为"乐圣"！因为在乐风、意境上是如此的不相似，简直叫人怀疑它们是否出于一人之手了！《G大调第四钢琴协奏曲》中，作者是那么宁静而恬然地在沉思冥想，《降E大调第五钢琴协奏曲》中，他却真像一个气概非凡的英雄人物，豪气凌云，气吞江海，粪土一切王侯将相。叫人立即会联想到他对自立为皇帝的波拿巴的鄙视，和那一次与歌德同游，途中遇到一伙贵人，他昂然走过，不屑向贵人低首下心的佳话。当年，据说是钢琴家克拉莫为此作擅加了"皇帝"这标题。这其实是贬低了甚至侮辱了贝多芬这篇杰作！

　　当我们中国人听过《第四钢琴协奏曲》，再赏《第五钢琴协奏曲》之际，可能会觉得像是听了"十七八岁小女子"拍着红牙板曼声唱柳永的"杨柳岸，晓风残月"之后，忽又听"关西大汉"以铁板铜琶唱苏东坡的"大江东去"吧！

　　贝多芬既能"豪放"，也能"婉约"，而且还有另外的变化，令人莫测，这都反映在他的作品里。贝多芬赞颂巴赫是"大海"。那么我可以说，贝多芬是与那个大海相通而又自有其万千气象的大海！

小提琴奏鸣曲

贝多芬还有可以纳入室内乐范畴的许多作品，即其小提琴奏鸣曲，其中也有我们不可不读的杰作。他的这类奏鸣曲一共有十首，曲趣不同而又各极其妙。从 19 世纪以来，这十首作品也并非一下子都被听众接受的。人们经过了相当长的时间才一首一首地发现了它们的价值。

像小提琴奏鸣曲这种音乐，必须作为室内乐性质的作品来玩味，不能当成小提琴独奏加钢琴伴奏来听。这是因为，它是两件乐器两个人之间的交谈辩论。这样的音乐思维是比小提琴独奏曲更内在而深思的。也正由于此，一般只爱听漂亮旋律与表面上的华美的听者，初接触它时必然会觉得无味，等到听进去了，才知其中意味深长。在贝多芬这十篇奏鸣曲中，标题为《春天》的比较好懂，而也耐得起读。名为《克罗采奏鸣曲》的一篇，托尔斯泰借用这题目写了小说，所以此曲特别引人注意。但是要想进入这一篇含义丰富复杂的音乐中去，却不是粗粗浏览一下便能做到的。应该入选的作品还有不少，但从本书读者对象的情况考虑，只好移到"可读曲目"中去。

从小品中听赤子之心

为了认识贝多芬乐艺境界之广大，同时也为了体会音乐的价值并不在于篇幅体裁之大小长短，这里还要推荐贝多芬的小品。

这便是他的《小曲集》（作品 33）。以此为题的短曲还有另外两集。这是第一集，最是平易近人，惊人地天真烂漫。它是一位巨人的一片赤子之心。所用的音乐语言又是如此地经济、简约，连一般业余水平的爱好者都不难到键盘上去弹奏一番。当然，真要深切地传达出巨人的心声，那可需要一位大师郑重的演绎，而不是信手一弹了事。

不曾收进曲集的一首单独的小曲，是不幸被众人弹得太随便也听得不认真的《致爱丽丝》。它是贝多芬身后才被人从他的抽屉角落里无意中翻出来的，所以作者也未来得及给它编上乐曲号码。这样一篇已经家喻户晓之作，我认为也有列入"必读曲目"的必要，只是你必须对其重新认识。务必要注意倾听一位真正的大师，例如威廉·肯普夫那样诚挚的演绎。而且听的人自己也必须摒弃原先已经被庸化的印象，重新听，像第一次听到那样去感受。这样你或许能识其真味。

贝多芬的后来者

谈论"必读曲目"，竟选出了那么多贝多芬的作品，这同我们建议以他为中心与界碑来读乐的宗旨是完全一致的。这既符合他在音乐史上的地位，也完全符合现今广大听众的选择。贝多芬是 18 世纪音乐文化大潮中的滔天巨浪，激荡着音乐之潮更加波澜壮阔地奔流向前。现在我们就顺流而下，一览 19 世纪的乐海风光。这主要是浪漫派、后浪漫派、民族乐派和印象派的音乐。

舒伯特

舒伯特既是贝多芬的同时代人，又是他的继承者。听其乐，既可以认出贝多芬的面影、气息，又处处令人感到他多么不同于那个他敬之如神的人。有意思的是，舒伯特往往可以写出有贝多芬味道的音乐，不论他是有心还是无意。但像舒伯特最富于个性的作品，贝多芬是不会写也写不出的。这是变动的时代与两人不同的气质所造成的差异。他们两人的写作方式也绝不相似。贝多芬总是呕心沥血千锤百炼地写他的重大作品，颇有点像我们的诗圣杜甫的苦吟。而舒伯特则是音乐的喷泉，作品涌流而出，甚至比天才莫扎特还要来得滔滔不绝。他的音乐之流畅自如，在音乐史上除了莫扎特也再无第二人。这种自然倾吐的音乐尤其适合浪漫派的气质与风格。

在交响乐这个领域中，舒伯特的成就虽然不能与贝多芬相提并论（他有几部交响曲也许只好屈尊放在"可听可不听曲目"中），然而纵使他只留给后世一部《第七交响曲》即《未完成交响曲》的话，他也绝对地可以赢得不朽的声名了。这是一部前无古人后无来者的作品，而且连舒伯特自己写到第二乐章也难以为继，只好搁笔了。"未完成"实是已完。有些人妄想续貂，只能是多此一举，恰似有人写《红楼梦》的续集，也像有人想为维纳斯修补断臂一样。也有人考证说，迷失的乐章就是《罗莎蒙德》中的两篇乐曲。即使可信，那音乐也是配不上前两个乐章的。《未完成交响曲》有其独特的意境，要用语言来形容它的美是不可能的。但要感受它并不比任何一种标题音乐困难。

舒伯特的钢琴作品也并不跟着贝多芬亦步亦趋，他说的是和贝多芬很不相似的语言。钢琴在这位艺术歌曲大师手里也变成了他歌吟的工具。但他用钢琴吟唱的诗篇又不同于另一位钢琴诗人肖邦。舒伯特后期所作的钢琴奏鸣曲，并不好懂，作为必读曲是不合适的。可以推荐的是他写的那些《即兴曲》。他的这种作品很像是诗人兴会淋漓之时口占一绝。诗味极浓，但也不须勉强赋予什么形象。它们是真正的无言诗，是纯音乐性的作品，抒发着诗人胸怀中乐天的一面。在他的《即兴曲》中，滔滔不绝的乐流总是像清溪中的流水般自在地淌流着。其中有一首《降 G 大调即兴曲》最为美妙。像这种纯真素朴的音乐，除了舒伯特是再无他人写得出的。

舒伯特在交响乐、钢琴音乐和室内乐诸方面都有大作品，但是我们一提起他的名字便立刻会联想起来的却是他的艺术歌曲。

遗憾的是，相当多的爱乐者似乎只知道听歌剧中的咏叹调——张爱玲所谓把情感用放大镜放大了的音乐，不懂得欣赏在艺术上更为细腻精美的艺术歌曲。歌剧音乐中自有精彩之作，但很多是粗糙而夸诞的。而像舒伯特写的艺术歌曲，才是诗艺与乐艺的完美结合。它需要作者与演唱者的精心处理，也需要一副能诚心诚意倾听的耳朵。

听艺术歌曲既要用心去感受诗艺之美，又要用心去感受诗与乐相结合的效果，这也许比听单纯的器乐作品还难一些，因为它要求有更好的理解与体验，更加敏锐的感受力。

舒伯特一生像流水作业般写歌，统计起来竟有五百六十七篇。关于他这种毫不费力便写出绝妙音乐的佳话，人所共知。但也必须知道，他有不少作品是一谱再谱的。有时为同一篇诗反复谱写了好几种不同的音乐。有意思的是后作并不一定胜于前作。为同一诗篇谱写不同音乐的歌曲数目竟有两百篇之多！

在他写的所有艺术歌曲中，《魔王》也许是最为人所知的了。此作不但被李斯特改编成一首钢琴独奏曲，还有人拿它配器改为管弦乐曲，也可见其受人欢迎的程度了。然而我们还是应该细读舒伯特声乐原作。因为它是民谣风而又很声乐化的。特别是其中有些句子是宣叙风口语化的，需要自然而又亲切的演唱，一改为器乐，便不免变得硬邦邦的，没味了。听演唱，也最好听用原文（德语）演唱的，那样才能充分感受到诗人歌德的原词与舒伯特音乐处理之妙。译成同原诗的语言距离很大的中文来唱，那诗乐合一契合无间的效果不免要打折扣了。举一个例，此歌中最后那个词是德语之"死"（tot）。那两个辅音是有助于增强心理效果的。这便难以用中译来作完美的表达了。

他写的另一篇歌曲，《玛格丽特纺纱歌》[1]，写作时间还早于《魔王》，是他的第一篇天才之作。但留心这一曲的人似乎不如听前一曲的多。此作貌若平淡，其实是一篇神韵非凡、品味不尽的绝唱，是值得我们反复倾听的。读这一曲，还对我们读《浮士德》颇有益处，可以帮助我们去琢磨玛格丽特这个人物的形象与感情。也不妨说它像是为《浮士德》而作的一幅画，但没任何一幅以浮士德为题材的名画或插图可以同《玛格丽特纺纱歌》相提并论。音乐不仅是真正"生动"的艺术，而且音乐又特别工于传情，因此当你倾听此作并理解了它，一个活生生的玛格丽特便如在目前，而且她那满腹心事也可以感觉到了。

这篇小歌的曲调素朴得近乎说话一般，细味起来却又真挚恳切，令人可亲。曲中最动情的一处，舒伯特没有运用音符来表达，反而是用了休止符，最有力量、最富感情的休止符！他用这来表达女主人公的烦忧与激情潮涌。对于这里的诗意与戏

---

1 *Gretchen am Spinnrade*，现在通常译为《纺车旁的玛格丽特》。

剧性，论者赞之为音乐作品中最伟大的休止符之一，是伟大天才的神来之笔。中国听众当然可以联想起"此时无声胜有声"，一千年前诗人白居易的名句。

我们也知道，用《浮士德》题材写的音乐非常之多。最流行的莫过于古诺写的那一部歌剧。那可以说是歌德原作的别一种"译本"，也表现了另一种趣味。应该说，舒伯特这首短短的歌曲，才是歌德原诗的妙"译"。虽然不过是原作中的一个片段，但那格调之高，意态之传神，读此也抵得上看一部歌剧了吧！

门德尔松

贝多芬开创，舒伯特接踵而前，打开了音乐的新路子。在他们之后，浪漫派之风大畅。门德尔松是归在这一派中的巨子，然而他又带着与其他浪漫派乐人不同的特色。他善于以古典派的形式来约束浪漫风的乐想联翩，也就是在古典曲式的框架中安排浪漫的诗情画意。有点像中国现代人利用旧诗词的形式来表达新的思想感情。一个最好的曲例是其名作《芬格尔山洞》。这一篇标题音乐名作一百多年来一直是音乐会和唱片中的保留节目，至今也并没有被常常是喜新厌旧的听众厌弃。事实上这个作品的确有一种经得起反复倾听的耐读性。这在标题音乐中尤为难得。因为，凡是刻画形象讲述故事的音乐，总容易讨人欢喜一听便爱，却又不耐多读。当人们对乐中所要表达的内容都耳熟之后，很可能就会兴味大减了。然而门德尔松此作并不如此，这同他善于运用曲式的作用发挥纯音乐的力量是有很大关系的。音乐不受标题所规定的内容的局限，产生了自在的效果，展示其自身之美了。

不过此作首先还是一篇标题音乐，在刻画景物、描摹气氛等方面实在精彩，其能使人常听常新是有道理的。我们知道，图山画水的音乐是举不胜举的。门德尔松此作可称是音乐山水画中的神品！曲中写海天景色，笔法并不复杂，却收到丰富的效果。几次的来潮与退潮都在统一的气氛中透出微妙的变化，在整个画图中有波涛起伏，海鸟飞鸣，更有在岩穴中观海听涛者的心境，曲尽其妙地表现了那一片笼罩于北海岛屿上的凄清的气氛。比科幻小说大师凡尔纳描写这一胜地的文字更令人感到如同身临其境。当人们倾听着其中层出不穷的变化时，很容易忘了它的结构是并不那么复杂的。这正是经典形式的妙用。

但我首先推荐此作，并非以为它是门德尔松最出色的作品。最了不起的是他的《仲夏夜之梦序曲》，那是一个十七岁少年的作品。这篇音乐给人的最突出的印象是一种青春之美，一种蓬勃的朝气。有意思的是，就连他自己，自从创造出这一音乐文化中的天才奇迹之后，终其一生再也写不出像这样永葆青春之美的完美作品了。我们可以用另一部他的代表作来做个比较，那是同样极负盛名的《e小调小提琴协奏曲》，此作也是英俊鲜美，一派青春之气，听了足以令人暂时把人世间的丑恶与痛苦置之脑后。然而这部协奏曲的耐读性就不能同前一作品相比了。有一位乐史家在盛赞此曲之美的同时，又叹息道："如果让我重生一次，好再享受一下第一遍听它的新鲜感，那多好啊！"

再比较一下门德尔松的《意大利交响曲》，也是很有意思的。这部交响曲的开头真可谓灿烂之极了，但正如评家所指出也是我们可以听出来的，当那音乐进行下去不要多久之后，那光彩与魅力便迅速地消失了。虽然这部交响曲还是门德尔松花了特别大的工夫、写得艰苦的一部作品，反而远逊其不费多大气力的少年之作。这部《意大利交响曲》和另一部《苏格兰交响曲》都要算是他的重要代表作，也都是可读的，但却不必列于"必读曲目"中。另有一篇必读之作却是短短的一篇钢琴小品：人们大抵都耳熟得很的《春之歌》。人们虽然耳熟却未必认真品味过。这篇小小的无词歌，完全可以同他的一些大块文章并列，作为他的天才的见证。

《春之歌》是他的钢琴曲《无词歌集》中的一首。无词歌是他首创的一种小品音乐，意在不言中，所以原来绝大多数并无标题，只有少数几首由作者加了题目，如《威尼斯船歌》。因此，《春之歌》这标题并不是作者自题的。它还被人加上了另一个标题，叫《康贝尔芳草地》。但《春之歌》的确是完全与曲趣相符的好标题，可以说不可能有比它更恰当的标题了。听此作，可以联想古来以春为题的许多名画，但如此清新活泼的春之气息却是图画难以传达的。通常演奏者喜欢用抒情的情调处理它，特别是改编为小提琴独奏曲时更是如此，但那柔美的抒情味不过是其曲中意境的一个方面而已。有人把它改编成了管弦乐曲，稍稍加快，强调了在春意盎然生机勃发的大自然中，少男少女的生之欢乐，那是更为动人的。正说明了在他这首杰作中蕴含着丰富的意象。门德尔松除了《意大利》与《苏格兰》，还写了好几首缺乏吸引力的交响曲。即使没有那些大作品而只留下了以上这几种，他也会永远留在人们记忆中。

从《仲夏夜之梦序曲》《芬格尔山洞》与《春之歌》这些作品中可以听出门德尔松的乐风特色：清新典雅、从容不迫，他不像其他浪漫派乐人那么热，那么激情。

柏辽兹

激情如火，同门德尔松的冷静正相对照的是柏辽兹，他是更典型的浪漫派。听他的作品，人们可以通过那种如诗似画的音乐了解标题音乐的功能，也可以从他的配器艺术中获得大享受。人所共知，和柏辽兹的生涯、艺术紧紧联系在一起的一部作品是他的《幻想交响曲》。这是一部大不同于传统交响曲的新型交响曲。虽说这部"长篇小说"并不能一直吸引着人们读到结尾，但它的前面几个乐章是大胆的独创，精彩动人。写实与想象交相为用，诗情与画意都不缺少。只是到了最末一章露出了才穷力尽的痕迹，也就难以抓住听者了。

此作的第二乐章写的是主人公来到舞会上，那一种"众里寻她千百度，蓦然回首，那人却在灯火阑珊处"的情景，情景交融，余味不尽。第三章写田野景色，但不是一般人看到的，而是一个情场失意者眼中所见之景。第四章是别出心裁的"断头台进行曲"。不仅有场面的刻画，而且仍以人为主，让冷眼旁观的听者，代那个被押赴刑场的罪人体验其阴暗绝望的心情，这是高明的大手笔！听此章令人毛骨悚然，疑心作者是否有当过死囚的切身体验，否则怎会写得如此真切？从这些都可知柏辽兹荒诞的幻想都是同他对人生的观察与体验交织在一起的。末章的那幅"地狱变相图"却也因其缺乏可供联想与共鸣的依据，而不能有多大的说服力（至少对于不信神的无鬼论者是如此），倒不如柴科夫斯基写的地狱景象有诗意，下文将会谈到的。

柏辽兹另一篇杰作是《罗马狂欢节》序曲。它是歌剧《本韦努托·切利尼》中的一首幕前曲。后来流传开，成了音乐会中单独演奏的节目。音乐作品写狂欢节景象的不少，常常容易写得只有热闹而缺乏韵味。柏辽兹这一篇在写热闹方面固然笔力不凡，而且不俗，它最有魅力之处还在于写出了良辰吉日的气氛。特别是一开头便着墨无多地呼唤出了节日的明媚阳光，一城人喜气洋洋。这篇音乐的吸引力至今不衰，证实了柏辽兹作为标题乐与配器大师是真有两下子的！

李斯特

和柏辽兹同时并称为标题乐大师的李斯特，许多大作虽也名噪一时，至今也仍然被看成是"名曲"，其实颇多平庸之气。他的《但丁交响曲》中也有写地狱景的一章。当年在伦敦演奏的时候，文豪又兼音乐评论家的萧伯纳写了一篇乐评，毫不留情地批评了它。李斯特的两部交响曲、十三部交响诗与两部钢琴协奏曲，我们选哪一种为必读曲呢？只好委屈它们放在"可读曲目"中去谈了。他的管弦乐曲是这样一个情况，那么这位钢琴大王写的数以百计的钢琴作品又该如何评选？要从其中挑选"必读"之作，也叫人煞费思量，如果我们按照许多人宽宏大量的评价，把他的《匈牙利狂想曲》之类也收进"必读曲目"，那就降低了"必读"的标准了。

肖邦

然而对于钢琴诗人肖邦，我们又为他的作品应该入选的太多而发愁。在音乐史上，肖邦的确是一个特殊的现象。仅仅运用一架琴，他便作出了他人用一支大乐队也表现不出的大文章。他将钢琴这种像是一架机械的乐器人化了而且诗人化了。莫扎特、贝多芬虽然用他们的作品开发了钢琴的功能，以钢琴为喉舌，发表其思维，抒发其性灵，厥功甚伟；但是到了肖邦笔下，钢琴才真正获得了自己的个性，唱出了任何别的乐器也不能替代的声音。肖邦和李斯特正相反。李斯特总是想把钢琴变成一支管弦乐队，演奏出逼似管弦乐的效果。他所改编的与创作的钢琴曲，加上他演奏钢琴的一手绝技，也确实达到了这样的效果，把钢琴化为管弦乐队了。然而肖邦比他更高一等，他不想让钢琴等同于管弦乐，他不要取消钢琴的个性而是更加发挥其特性，让钢琴表现管弦乐所不可取代的效果。所以便可以看到这样的情况：有许多钢琴曲，如果改编为管弦乐曲，会更有气势，更为多彩，然而肖邦的作品几乎是不宜改编甚至不能改编的，如果移植到别的乐器上或改成乐队曲，都会变味、失味。例如他那首《升 c 小调幻想即兴曲》是一首绝美的乐曲，便是绝对不宜改编的。当然也有人将其改为管弦乐曲，一听之下就觉得原作空灵秀美的气韵丧失无遗了。这一首肖邦的身后遗作，是毋庸置疑的必读曲，曲虽不长，却是神品无疑。

肖邦写了那么多"钢琴诗"，既有咏怀的"抒情诗"，也有内容深刻气魄宏大的"史诗"。例如他的《g 小调叙事曲》，就是一篇"史诗"。其中寄托了作曲家的故国之情、亡国之痛，音调苍凉悲壮，听者往往感慨欷歔不能自已，有强烈的感染力。

肖邦的圆舞曲，和一般的圆舞曲大不相似。它并不是那种可以拿来跳交际舞的音乐。所以有人形容它是一种"意舞"，即精神的舞蹈。这一套圆舞曲中有一首《升 c 小调圆舞曲》（作品 64 之 2）是一首风韵高绝之作，真正可谓灵魂之舞了！其意境之飘逸高洁，叫人一听之下顿然觉得一般的华尔兹音乐（包括小约翰·施特劳斯所作）在它面前都显得是庸脂俗粉了。

　　肖邦写的《前奏曲集》中有两首是不可不读的。一首是人们比较熟悉的《雨点前奏曲》。这是一首在意境、韵味上特别能唤起中国听众共鸣的作品。在一种充满秋意的气氛中，一个愁绪满怀的旅人在听雨，潇潇雨点，时疏又密。这在中国诗词中不是很容易找到印证吗！还有此曲中间一段音乐，更令人不禁联想起宋人的名句"柳外轻雷池上雨"了。

　　不可不听的另一首是《d 小调前奏曲》（作品 28 之 24），则又换了另一种阔大的气象。有人给它配上了"暴风雨中一株小花"的内容，倒也未尝不可这样来拟想。但这篇短短的小品，其中包含的意象是更为宏大而深远的。从此曲中可以感觉到这位心事浩茫忧患情深的音乐诗人的感慨。

　　夜曲这种体裁，是肖邦钟爱的。而许多人之爱上肖邦，恐怕也首先是由于他的夜曲。诗人借了夜深人定的气氛来独自一个倾诉他的满腹烦忧。对于这样的音乐，我们也不能只觉得好听而已，应该也肃然、悄然而听之。

　　肖邦的钢琴奏鸣曲，曲趣和音乐的逻辑都大不似他的前辈之作。但却并非我们普通人所易解的，似可不必列入"必读曲目"。在他的两部钢琴协奏曲中，劝你必读的是《e 小调钢琴协奏曲》。很可惜的是肖邦的协奏曲是美中不足的。它们像是一种附加乐队过门与伴奏的钢琴独奏曲，独奏乐器与协奏的乐队之间太缺乏交响性了。管弦乐部分也写得平淡无味。假如作者当初索性不要它，改写成钢琴独奏之曲，也许还可免于多此一举之憾吧？多少年来不止有一二人热心于为他的协奏曲改作管弦配器。这类事照例是吃力不讨好的。因此直到今天人们仍然只好带着不满足与惋惜的心情听肖邦原作了。不过钢琴部分的美妙也足可弥补这一缺陷，令人沉醉于其中而不愿多所苛求了。

瓦格纳

瓦格纳其人不是一个一般的乐人，他是所谓"未来音乐"的理论家与宣传家。他的最大成就与贡献是在改革歌剧创作所谓"乐剧"这方面。真要全面而立体地领会其作品，须要看他的"乐剧"演出。所幸他的"乐剧"这种综合艺术中最有价值的还是管弦乐这一部分，可以从"乐剧"中取出来独立地欣赏。

首先是他写的前奏曲。其中我们必读的是《罗恩格林》第一幕前奏曲、《纽伦堡的名歌手》前奏曲和《特里斯坦与伊索尔德》的前奏曲。这三部前奏曲是全然不同的三种情趣。《罗恩格林》前奏曲是带着神秘色彩的罗曼蒂克气氛；《特里斯坦与伊索尔德》前奏曲阴惨如愁云笼罩的无边恨海；《纽伦堡的名歌手》前奏曲却又庄严灿烂，把听众带回阳光照耀着的人间世。如果接连着听三部作品，叫人恍如经历了三种截然不同的人生。然而它们却都是从一个头脑里孕育出来的，后两曲还是作曲家在同一年代中同时在酝酿着的，真是不可思议！

瓦格纳的《尼伯龙根的指环》是一部要连演四个夜晚的巨型乐剧。其中值得听的音乐是听之不尽的。必读之曲可以推荐两篇。一是《女武神的飞驰》，它描摹的景象是九个英武非凡的女武神纵马飞驰于雷轰电掣的九天之上。此曲中写风云雷电，既有如画如剧的逼真效果，又不失其神话的色彩与诗意，有趣而又不俗。不是大手笔是做不到这一点的。

另一篇音乐，其韵更美。它被题为《森林细语》，乐剧这一场的音乐写的是英雄齐格弗里德漫游林中的景物，风摇树低语，鸟鸣山更幽，是比工笔重彩的风景画还要立体而且生动的音乐。在所有这类"风景如画"的写景音乐中，瓦格纳此作是巅峰之作，堪称神品！

瓦格纳完全有资格写出优秀的交响乐。但他并没写（或已写而未完成），这是令人遗憾的。因为他鼓吹贝多芬不遗余力，创作也深得贝多芬音乐的三味，又有那样的大才，写交响乐一定可以在交响乐文献中再添几部杰作。但我们也可以不必为此惋惜。他实际上已经在他的乐剧中把交响思维尽情发挥了。

前面介绍的几篇前奏曲是附在歌剧与乐剧上的，但他还有一篇《浮士德》序曲，是独立的音乐会序曲。这篇作品，恐怕有许多爱乐者都失之交臂未曾重视。实际上这是一篇极精彩的杰作，他原有意写成一部交响曲的，它只是其中之一章，后来又作了修改，遂独立成篇了。虽然没有展开为交响曲，它却已经浓缩了《浮士德》原著的精神，简直像是歌德原著的一种"译本"。像《浮士德》序曲这样耐读的音乐，如果对其一无所知是极可惜的。它并不深奥难解，有一种一下子便吸引住听者的魅力，但又是非常深沉的音乐，因此也就经得起多读。

勃拉姆斯

瓦格纳的对立面是勃拉姆斯。从前曾流行过"三B"之说（指三位大师，名字都以"B"这字母开头），除了巴赫、贝多芬便是勃拉姆斯了，可见他地位之高。虽然置身于浪漫主义和标题音乐盛行的时代，他却敢于反潮流，不随声附和，坚持我行我素，写他的纯音乐的作品。在拥护瓦格纳与李斯特的那一派人看来，勃拉姆斯之作是空洞无物的。同时代的另一些乐人又嫌他写的东西晦涩费解，枯燥无味，不近人情。甚至连柴科夫斯基这样宽容的人也不喜欢勃拉姆斯的作品。文豪萧伯纳写的乐评文章，有不少篇都是以幽默讽刺的笔调批评勃拉姆斯的。

但时间与公众的选择终于证明：他的作品也许并不像其狂热信徒们所想的那么伟大，但它们中的重大作品完全可以列为音乐文化的经典之作，可以经久不朽，则是毫无疑问的了。19世纪以来，他的重要代表作已经成了音乐会中的保留节目。

今人初听他的作品，很有可能也会不感兴趣，觉得晦涩，但只要不存成见，耐心听下去，就会发现其中大有深意，很耐得起咀嚼与回味，而终于会喜爱他。如果对他有了更深的了解，便可以发现这位反潮流的大师其实却是古典其面而浪漫其心的。也就是说，他是一个复杂的现象，无怪当时反对他的一派骂他"伪善"了！

勃拉姆斯的《匈牙利舞曲》倒并不费解，但那并不是道地的匈牙利民族风格，也没有"必读"的价值。难读，初听几遍有晦涩之感的是他的交响曲。在其一生所作的四部交响曲中，必读的是第一首与第二首。《第一交响曲》曾被捧为"第十"，意思是其伟大可以继承贝多芬《第九交响曲》的光荣道统。这种过火的评价当然要打一个折扣。但总之是他十年磨一剑的力作。在交响曲思维不太景气的19世纪中叶，他的交响曲的确是出乎其类拔乎其萃的重大里程碑。

《第二交响曲》比较好懂，它有一种可喜的秋天里的田园风味，同阳刚气质的另外三部交响曲有所不同。

在小提琴协奏曲这一领域里，从19世纪以来似已形成了一种定评：排在最高一档位子上的不过四五部而已，除了莫扎特、贝多芬、门德尔松与柴科夫斯基的作品，还有一部勃拉姆斯的《D大调小提琴协奏曲》。那当然是应该收入"必读曲目"的。至于他的两部钢琴协奏曲，虽然在音乐文献中有相当重要的地位，可惜对于一般爱好者来说，未必有倾听的兴致。

　　他还写了一篇《悲剧序曲》。它并非歌剧序曲，勃拉姆斯从来没写过歌剧。既然他对标题音乐不大感兴趣，所以这篇有标题的音乐我们也只能当纯音乐来听。但这个标题是非常恰切地提示了音乐的含义的。音乐并无感伤情绪而是严峻的，并不难懂，而又含义甚深，听完了仍然耐人思索。

　　勃拉姆斯在钢琴音乐、室内乐和艺术歌曲等方面写了很多作品，可惜并不都是我们普通人容易接近的，需要我们在长期的广泛阅读中自己去发现和选择。

柴科夫斯基

　　前面提到对勃拉姆斯的作品听不惯的人当中有柴科夫斯基，拿这两位同一时代而乐风绝不相似的大师来对照，是很可以扩大我们音乐欣赏的视野的。我们不难感觉到，勃拉姆斯似乎总是控制着约束着自己的感情，使其深藏不露；柴科夫斯基则恰恰相反，让情感尽情流露。我们应该想到，柴科夫斯基时代的帝俄社会是一种什么样令人痛苦的社会，他本人的生涯也是一大悲剧，而他又是多愁善感的人，无怪他的作品里充满了俄罗斯的哀伤悲痛。即使是短暂的欢乐也成了强颜欢笑。他的绝笔《悲怆交响曲》等于是他的一生和他所写的音乐的一个总结，听这交响曲，绝非一件令人愉快的事。然而它的深刻内容与艺术魅力又吸引着人们一遍又一遍地去倾听它，并且为之深思。它并不难懂，同时耐听。所以它同《田园》《未完成》以及《自新大陆》一起，成了最普及的雅俗共赏的交响曲。这是难能而又可贵的。

柴科夫斯基的另外五部交响曲中，第四和第五虽也是人们爱听的作品，但它们的艺术质量都不能同《悲怆交响曲》相比。柴科夫斯基有两篇管弦乐标题乐曲，则完全应该列入必读曲之列。

一篇是《罗密欧与朱丽叶》序曲，作为莎士比亚同名悲剧的一种"音译"，再没有比它更动人更有说服力的了。

柴科夫斯基能把莎剧"译"得如此传神，说明他是善于读莎翁作品的。从另一篇杰作来看，他也是善于读但丁《神曲》的。他的《里米尼的弗朗切斯卡》把《神曲》（地狱篇）中的一段中世纪恋爱故事演绎成了一部感染力极强的音诗。许多爱好柴科夫斯基作品的乐迷往往只知道他的其他作品，却对此曲无所知，错过了一部文情并茂的不朽之作。此作中所写的地狱景象，就比柏辽兹和李斯特笔下的地狱要高明，更有说服力，而且这幅"音画"的效果也胜过了法国浪漫派大画家德拉克洛瓦的名作《但丁的小舟》，音乐中的地狱比画中的更为阴森可怖。

但是真正惊人的还是其中写女主人公弗朗切斯卡的那一部分。柴科夫斯基在这一节音乐中达到的效果真是栩栩如生，听者好像面对着一位薄命红颜，听她诉说哀惋的身世。柴科夫斯基用他饱蘸着同情的笔墨把人物和情节场景都写得令人信服而又感动。人们可以感受到那惨剧发生的冷宫中的阴冷，觉得不寒而栗。

柴科夫斯基的一部钢琴协奏曲和一部小提琴协奏曲，极受人们喜爱。作为必读之曲也未尝不可。但这两部作品情胜于文，不能视为深刻之作。它们并不经得起多读。

《天鹅湖》舞剧音乐更是如此。它的音乐艺术质量抵不上另一部舞剧《胡桃夹子》。而《胡桃夹子》中值得多听的也只有一部分。

但在钢琴套曲《四季》里面倒是有几篇精美的小品，例如《三套马车》《白夜》和《秋》。至于最为流行的那首《船歌》，则不免有一点凡俗的沙龙气味。

民族乐派异军突起

19 世纪音乐大潮中一个突出的新气象是民族风格的异军突起，打破了以往传统风格的一统天下。自从 17 世纪以来，传统的古典音乐风格大体上是比较统一的，色彩是差不多的。它其实是以德、意、法的民族风格作为"三原色"调和而成的一种灰调子的图画。到了 19 世纪中叶以后，民族风格的音乐勃兴，顿然放射出一种异彩，使人感到耳目一新，呼吸到新鲜的空气。

格里格

如果你听惯了德、奥风格（18世纪以后西方古典音乐的基调）的作品之后，首次接触到格里格等人的北欧风味，那种新鲜感是难以用言语形容的。格里格，严格地讲起来是够不上我们前面谈的那些大师的水平的。他不是巨匠，他也没有写出气势磅礴思想深刻的重大作品。但是他的那些篇幅不大的作品很有不少逸品与妙品。格里格既有民族风格又有他的个人风格，这使他在北欧作家群中鹤立鸡群。

要评选他写的音乐，人们自然首先便想到他的《培尔·金特》组曲。这是他为易卜生的诗剧谱写的戏剧配乐。这一套配乐中的精华由作曲家自己选编成了两部组曲。即使在这两部组曲中，有若干首也显得分量不足，初听之时，非常可喜；细玩之后又觉得没有多少可回味的了。例如《山王之殿》那一段。《阿塞之死》颇有深情，只可惜那音乐有重复而无展开，不过瘾！

但是，《早晨》这一曲是非常值得倾听的。仅用短小篇幅和不多的材料与笔墨而能把海景与朝景描画得如此清新，令人心旷神怡，在音乐文献中再也寻不出第二例了。

格里格终于只能算一位小品大师。但《a小调钢琴协奏曲》弥补了他未写一部交响乐的缺憾。这部作品画面广阔，色彩绚烂，气势不凡，而又把民族风味作了充分的发挥，是不可不读也颇经得起多读的。此作等于是他祖国山川的一幅长卷音画,听了它谁不对那北国风光神驰心醉!

即使是听一曲短短几分钟的钢琴小品《致春天》,也会感受到格里格作品中的北国风味。他写了大量的钢琴抒情小曲,天真淳朴是其共同的本色。有一些作品中还透出某种野气。他的《抒情曲集》中最晶莹可赏的就是《致春天》了。听此作,往往有像是咽下一口甘美清冽的冰下流泉的直感,美妙难言!德彪西曾在一篇乐评中说,听格里格的作品如啖埋在雪中的糖果,显然他也有此感而并非虚言。

强力集团

柴科夫斯基之作当然是俄罗斯民族风味了,但他在西欧传统与俄国本色这二者之间有所折衷。还有比他的俄罗斯味更浓的作者,虽然这些人的成就并不比他更高,人们也不认为他们比柴科夫斯基更配作俄罗斯的代言者。

这就是所谓"强力集团"一派人的音乐。其中最突出的是里姆斯基–科萨科夫,他的作品颇受人们所喜爱也并非偶然。标题音乐的形象性,俄罗斯风味之浓,加上这位配器法大师有一手为管弦乐调色傅彩的高明手艺,这几方面加在一起便构成了一种持久的吸引力。

他的代表作是《天方夜谭》组曲 [1],也许是严肃音乐中流传

---

1 *Scheherazade*,现在通常译为《舍赫拉查德》。

最广也最讨人喜欢的作品之一。其实它的四个乐章并不都是同样耐读的。我们不妨浏览其全曲，但只采其一、三这两个乐章作为必读之曲。第一乐章题为《辛巴达航海》。虽然人们熟听之后也不难发现它并不能完全令人满足——因其总爱把好听的话重复地讲而新意无多，但平心而论，在所有描画大海的音画音诗中，它是最深入浅出雅俗共赏的一篇了。何况他不仅写了海景，而且把它同《一千零一夜》的故事美妙地融合在一起了。他那卓越的配器艺术也使画面变得更为有声有色，五彩缤纷。《一千零一夜》的故事将是不朽的，人们读那部故事的联想也将使《辛巴达航海》这生动的"插图"永远不朽了。如果说《辛巴达航海》如画，可以证明作曲者的善于刻画景色，那么第三乐章《王子与公主的情史》便是一篇情诗，论乐艺之高下，更有质量、更能动读者之心的还是这一乐章。其中东方色彩的画面也极绚烂，有如画家琵亚词侣[1]的文学作品插图。

这位大师虽然追求的主要是俄罗斯风味，但有趣的是，他似乎更擅长写异国情调，描摹其他民族的色彩。《天方夜谭》组曲是所谓东方色彩的，固然并不道地，但也可以叫人接受。他还写了部更精彩的作品《西班牙随想曲》。

并非西班牙人而大写西班牙风味之乐，历来成了许多乐人的一种兴趣。这样的冒牌民族风作品数量很不少，真正西班牙

1　Beardsley，现在通常译为比亚兹莱。

作曲家写其本地风光的音乐，反而不及外邦人的拟作更风行，这是很有趣的一种现象。在所有这一类拟作的西班牙风的音乐中，里姆斯基-科萨科夫这一篇《西班牙随想曲》是最可听的。这是阳光灿烂、热气腾腾的音乐，其旋律之漂亮，节奏之丰富多样，管弦色调之斑斓，使人们在听觉上获得极大的享受，然而它又并不仅以这些取胜，它的意境与格调都是不同凡俗的，所以比较耐读。

俄罗斯民族乐派中其他人物所作，我们在此只好略而不谈，但却不能不提一下鲍罗廷。他的本职是医生兼教授，在短暂的一生中，辛辛苦苦地工作和投身社会活动，又忙忙碌碌地作曲，所以只是个半职业半业余的乐人。但他却留下了足以为俄罗斯音乐生色的杰作。《在中亚细亚草原上》这篇管弦乐小品，虽浅而不俗，自有其生命力。更有魅惑力的《波罗维茨舞曲》，它原是歌剧《伊戈尔王子》里的舞蹈音乐。曲中前一部分是女声唱的，有一种蛊惑人心的异样的妖媚，后一部分男声所唱则犷悍野蛮，适成对照。虽不是什么深刻之作，却因其民族风味浓（虽然不是斯拉夫民族的）而可以收进"必读曲目"。

比以上两篇更值得多听的是他的《D大调第二弦乐四重奏》中的《夜曲》。这篇音乐有极大的魅力，一听便会受其吸引。这是甘美如旨酒的音乐，似乎是几个知心好友于沉沉长夜中饮酒谈心，高声曼吟。室内乐多数是沉静玄远的音乐，此曲却是浓情蜜意，是一种可以醉人的音乐，然又真诚不俗，所以是乐中上品。

小小的北国挪威，出了一位大师格里格。同样是小小而荒寒之国的芬兰，也出了一位大师西贝柳斯。格里格是小品的大师，西贝柳斯却以他的交响音乐雄视乐坛。在交响曲很少出现伟大作品的 19 世纪末叶，西贝柳斯的崛起是特别可以振聋发聩的大事。所以他成了所谓"三 S"之一了。从他写的交响音乐中人们可以感受到荒寒北地严酷的大自然与坚毅顽强的人民。民族色彩与个人风格的鲜明，固然是其显著的特色，交响思维的深刻，音乐逻辑的强有力，更叫人觉得这是贝多芬、勃拉姆斯交响乐传统的一个新发展。听他的交响曲，总使人产生一种对宏大建筑物的敬畏之感。他的第一、第二交响曲都应列入必读之作的曲目。

德沃夏克

在民族乐派的灿烂群星中，最耀眼的一颗无疑是德沃夏克。正像西贝柳斯一样，他绝不仅是波希米亚民族的代言人，而且是整个西方音乐中的一位代表人物。《自新大陆交响曲》并不仅仅是一个民族的财富，其中吸收融汇了波希米亚、印第安和美洲黑人音乐的因素，才酿制出这一部全世界各民族人民都无不喜爱的、最通俗普及、从 19 世纪末叶到如今人们一直听不厌的交响曲。可是这并不是说它太好懂，可以一览无遗。

其实绝非如此。它既平易近人又毫不浅薄，要深深发掘其中蕴含的美妙之处，绝不是浅尝辄止的听赏能做到的。其经得起亿万人和百多年的反复听赏而魅力不减永葆青春，也正说明了它的不简单。不但必读，而且要反复多读、精读。

　　几乎无人不知《自新大陆交响曲》，然而很可能有人不知道他的另外两部交响曲之美。《G大调交响曲》和《D大调交响曲》，尤其后一部，错过的人更多。这部创作早于《自新大陆交响曲》十三年的交响曲，味道和前者是不大一样的，但其相同之处是层出不穷的旋律和作者对主题的处理变化莫测，是那种壮丽的交响性，是极其生动自然的气韵。如果对德沃夏克的交响曲始终只知道《自新大陆交响曲》而不知有其他（他共作九部），那是深为可惜的！

　　在大提琴协奏曲文献中，第一流之作屈指可数。而德沃夏克的《b小调大提琴协奏曲》是其中之一，也不妨说是最美、最富于交响性的一首。这首同《自新大陆交响曲》同时作于美国的作品，完全有资格称作用大提琴助奏的一部交响曲。那音乐的交响化是令人叫绝的。它也同《自新大陆交响曲》一样充满了奇美的民族风味的曲调、和声与配器。它也同样是一部特别适合中国人耳朵的音乐。

　　有意思的一种比较：格里格与西贝柳斯的音乐常常叫人感到一种寒冷、清冷或是严寒；听西班牙作曲家德·法亚与阿尔贝尼兹之作，可以感受到南国的热力。从德沃夏克的音乐中不难感知的则是种极富人情味的温暖。他的大小作品都充满着这种可亲的温暖。他的音乐语言的流畅自如也是突出的，除了舒伯特再没有人可比了。不假雕饰，纯任自然，不仅以其美而吸引你，更因其饱含真挚之情而打动你，使人一见倾心而又永远不会生厌。

德沃夏克是一位多产作家，有许多极可爱的作品还未被一般人发现，真是可叹息的事！例如他的三联序曲《狂欢节—在大自然中—奥赛罗》，世人多半只听了那一篇《狂欢节》序曲，而其实更为美妙深刻的另外两篇往往错过了。又如他的《E大调弦乐小夜曲》，是他用音乐语言记录下自己的爱情与幸福，听者也好像听他向知己者坦露心胸，何其亲切诚挚！又如他的室内乐作品中有一颗明珠——《F大调弦乐四重奏》，又名"美国四重奏"，也有人呼之为"黑人四重奏"，那是因为其中的许多曲调很容易叫人联想到美国黑人音乐。这一部室内乐作品同《自新大陆交响曲》一样的深入浅出，平易近人，而又美妙得无可形容！还有他的一部由自己的钢琴曲改的管弦乐小品集《传奇》，在他本国以外的听众知道的更不多了，其实那是比他的《斯拉夫舞曲》更值得倾听的乐中妙品。当然，《斯拉夫舞曲》是道地的民族风味，比勃拉姆斯的《匈牙利舞曲》耐听多了。他的第十四首《降A大调弦乐四重奏》像一位老者的暮年回想，感情沉郁，极苍凉之致！《降G大调幽默曲》令人想起霍桑短篇小说中深山里那个火炉边倾听过客谈山外情景的女郎的微笑（半夜里雪崩，这人家从此消失）。此曲须听克莱斯勒改编、演奏的小提琴曲。

圣－桑

在民族乐风的吹拂之下，法、意两个老牌的音乐中心也出现了强化本民族传统特色的乐人。其中有圣－桑这样的音乐才子，竟然为了弘扬本民族的传统而主张抵制排斥德国音乐。圣－桑多才多艺而又多产。他的许多作品是受到听众欢迎的。他写的交响曲、交响诗、小提琴协奏曲和钢琴协奏曲，直到今天还有人欣赏。但要把它们作为经典之作来必读，未必值得。例如：《骷髅舞曲》[1] 这一交响诗经常演奏，人们都耳熟，乐艺是圆熟而洗练的。但是它只好算是能品而已，并不值得多去读它。又如他的小提琴协奏曲，许多提琴家也视为宠物，听起来也楚楚动人，但是拿它跟贝多芬等大师的协奏曲一比较，便立刻露出了平庸的本质。其钢琴协奏曲也是这样。只可偶一听之，吸引人多读的魅力是没有的。但是如果断定此公的作品一无足取那又错了。有两部作品是真正的天才之作。在"必读曲目"中绝不可遗漏它们。不懂得欣赏它们，那才是人生的憾事！

小品《天鹅》原本收在管弦乐曲《动物狂欢节》中。那部

1　*Danse Macabre*，现在通常译为《骷髅之舞》。

作品是一种游戏文章，其中有一些影射与讽刺。正因为这缘故，作者决定要等自己身后才可以公之于众。到如今，这一部作品已成了老少咸宜的音乐童话，人们也不去理会其中放的冷箭是射向谁人的了。平心而论，拿它当音乐童话来听是不坏的。但是如果对其中的《天鹅》也等闲听过，那便是埋没了一颗无价的明珠了！像《天鹅》这样的音乐，是应该列为乐中神品的。虽说是刻画得形象鲜明，却又不仅是形似，而且极有神韵，这是标题乐中难得达到的。此曲曾被人用作芭蕾小品《天鹅之死》的配乐。那样一来反而把这篇音乐作了不正确的图解，是不可取的，也会对听者产生误导。

圣－桑的另一篇绝唱是小提琴曲《引子与回旋随想曲》。它可以说是一首微型的小提琴协奏曲。管弦乐对于烘托和强化小提琴独奏部分的效果有很大作用，如果改为钢琴伴奏，就会大为减色了。

它虽然在篇幅上只抵得上一般协奏曲的一个乐章，然而我们宁愿听这样一篇言之有物的精彩的中篇乐曲，也不必听一部华而不实夸夸其谈的协奏曲。

《引子与回旋随想曲》并无标题，作者自己也不曾透露过什么消息。许多人恐怕也只当作一篇纯音乐来听，只知欣赏其艳丽的曲调，铿锵的节奏与出色的技巧，殊不知，这篇乐曲里很可能隐伏着一段哀感顽艳的情史，曲中的女主角与情节是呼之欲出的。整个作品听起来极像有一个巴黎歌舞场中的舞女上场献技。她那神情与舞姿都带着凄苦的味道。那场景也可以配上画家德加所作的那种绘画。不难想象出来的情节很像是莫泊桑的一篇小说：一双爱侣，男的在杂技表演中失手从高空摔下，奄奄一息；女的虽恨不能分身在他身边守护，却仍不得不登台献舞……

圣－桑是早慧的神童，又是一位活到第一次大战以后才去世的长寿者。我们从他的大量作品中只选出两件小品作为必读曲，不免有些委屈了他，但仅此两篇也就足可让他留在听众心上了。

比才

圣－桑虽然自命为法兰西音乐文化的卫士，可是他的作品里的法国味并不特别的浓。而他的同胞、同时代人比才，才真正是一位法国味浓又有鲜明个性的伟大作曲家。超人哲学家尼采对他原先崇拜得五体投地的偶像瓦格纳感到幻灭之后，无意中发现了比才的杰作歌剧《卡门》。他为之狂喜，如同在黑暗中看见了阳光一般。从这段出名的佳话中也可以想见比才的音乐有何等不凡的感人之力了。比才的音乐是雅俗共赏的，听起来似乎毫无费解之处，但只有在反复倾听中，特别是在同那些风格不同、品格不同的作曲家的对照下，我们才有可能体验到比才的真价值，才能悟到尼采为什么那样激赏他的音乐。比才的音乐极其自然，而非故作深刻。何等温暖，何等有人情味，而又从不过火，不流于庸俗。《卡门》是这样，《阿莱城姑娘》组曲也是这样。《卡门》家喻户晓，人们都耳熟能详。但《阿莱城姑娘》组曲之美，或许有不少听众还陌生。这两套组曲的音乐在风味上和《卡门》是有所不同的。《卡门》中充满了火一般的激情，而《阿莱城姑娘》组曲则充满着温柔的悲剧性人情味。这里面的音乐原来是为都德的戏剧写的配乐，所以听比才的音乐也容易联想到《小东西》的作者的文情。比才之乐同瓦格纳之乐是明显不同的。瓦格纳的音乐不可谓不高，但往往有从现实世界中拔高且过分夸张的感觉。可以说，虽可喜而不可爱可亲，有的甚至不可信。比才的音乐完全是人世的，绝无与现世人生疏离之感，真正是可爱而又可亲并且可信了！组曲中的《田园》《小步舞曲》《钟乐》与《法朗多尔舞曲》都是非常耐读的音乐。

马勒

　　交响曲这一体裁的写作，还是德、奥作曲家拿手。到了所谓后浪漫主义时期，布鲁克纳和马勒这两位交响曲大师再一次证明了这点。他们都贡献了九部交响曲作品，都是分量沉重的音乐文献。对于读乐经验还不多的爱好者来说，要细读这些交响曲实在是一种挑战。布鲁克纳最喜欢营造结构庞大的音响建筑物，沉溺于构造瓦格纳乐剧式的宏大殿堂。听他这种作品，没有特殊的兴趣与耐性，大概是很容易掩卷不能卒读的吧？他那种沉思冥想的气质也使人听久了便需要返回到现实中来呼吸一下新鲜空气。

马勒的交响曲同样是巨型的，构思复杂，头绪纷繁。一种由于悲观厌世而仰求上苍的宗教情绪也常常令人厌倦。但像《第四交响曲》那样的作品是可读也应该读的。

理查德·施特劳斯

和以上两人同时的另一位交响音乐、标题音乐大师是理查德·施特劳斯。此公才气过人，年纪轻轻的时候便开始连篇累牍地发表出名噪一时的音诗了，如《唐璜》《查拉图斯特拉如是说》《蒂尔小丑》[1]《死与形变》[2]《堂吉诃德》等等。这些作品才气纵横，显出他善于运用管弦妙笔表达其形象思维、刻画各式各样具体内容的能力。难怪他自夸说世上的事物没有他不能描写的。

写唐璜的音乐，正像写浮士德那样的多得难以遍读。他这篇音诗着墨无多而效果出色，人物、场景、故事都出来了。在《堂吉诃德》中，音乐生动地描画出憨得可爱的骑士与狡狯可喜的听差的滑稽冒险史。斗风车，战羊群，也写得惟妙惟肖、活灵活现，虽然有时也几乎走到了庸俗的边缘，却又仍然不落他人窠臼，也颇能传达文学原著的幽默感。

1　*Till Eulenspiegels lustige Streiche*，现在通常译为《蒂尔的恶作剧》。
2　*Tod und Verklärung*，现在通常译为《死与净化》。

这位音乐才子竟敢用音乐来译解尼采玄奥的哲学名著，而听起来也并不叫人昏昏欲睡。在自传体的乐曲《英雄的生涯》中，他大言不惭地描画了高大形象的自画像，同时也尖酸挖苦地丑化了他的私敌，虽然无法指名道姓。对一己的辉煌业绩，乐曲中更是大事铺排。像这样的内容，在他人是难于下笔的，他却能洋洋洒洒地从容写去，发挥得畅快淋漓。叫人听了不免为之惊笑，同时却也不得不抚掌称善，佩服其才华焕发了。

像那部《阿尔卑斯山交响曲》，本来也是不大容易写出新意来的，因为音乐中风景画正像油画水彩风景画一样实在太多了。他又是像游记式地从绝早写到日暮，从上山写到下山，也像一篇流水帐。然而却难为他写得并无陈腔老调，始终可以抓住听者的注意，不觉其倦地跟着他游完了全程，赏完了这幅长卷山水画。曲中有山中风雨一景，这尤其容易落套，他写来倒也颇为不俗。

他还有一篇音乐，也表现出想象之丰富与笔力的不凡。《七重纱之舞》是歌剧《莎乐美》中的一篇配乐。气氛之阴森，节奏之生动，配器之精妙，都是出类拔萃的。听这一曲所得的艺术享受，超过了看画家莫罗所作的那幅名画。

以上所举，到底哪一首应该"必读"呢？这却难以确定，只好留给乐友们大家自选了。

雷斯皮基

爱好标题音乐，爱听"乐中有画"的人，一定要细读雷斯皮基的两部作品：《罗马的松树》与《罗马的喷泉》。

这位意大利乐人立足于他本民族的音乐文化传统，又从浪漫派和印象派的音乐中吸取营养，融而为他自己的风格。

《罗马的松树》的四个乐章各有其意象，最值得精读的是第三乐章。我们不妨给它另起一个"月夜松风"的题目。它不是就景画景，而是景中有史，乐中有诗。中国人听此章应该是很容易投入的。它会叫人联想起"明月出天山，苍茫云海间""古人不见今时月，今月曾经照古人"，从而感慨万端，并不仅仅对那月色与松声的描绘感兴趣。

此作的最后一章《阿庇安古道上的松树》，也同样是在写景之中大抒怀古之情。作曲者写了他所听见的这条罗马古道上自远而近的脚步声。那是古罗马远征归来的大军的脚步。这原也容易写得单调乏味，他却把这脚步声从一开始一直拖到曲终。这是一个从极轻到极响的漫长的"渐强"。罗西尼序曲中最爱用的手法是所谓"蒸汽压路机式的罗西尼渐强"。拉威尔的《波莱罗舞曲》也布置了个从开头到曲终的渐强，但都比不上《罗马的松树》末一章里这个巨大的渐强有效果有味道。如果你是一个像写《罗马帝国衰亡史》的吉朋[1]那样的怀古者，

1　《罗马帝国衰亡史》的作者，现在通常译为爱德华·吉本。

你可以从这篇音乐中复杂而丰富的历史的脚步声中听到历史。

《罗马的喷泉》也是借作者眼中之景抒怀古之情。其中最妙的是末章《梅地奇别墅的喷泉》。曲中也好像有一个著古罗马史的吉朋那样的人在怅望着，吊古伤今。此曲中所写的暮色是绝妙的，诗情与画意打成了一片。作者调动了许多乐队中的非常规乐器，如钢片琴、钟琴，加上钢琴、竖琴，用这些"美声"乐器来调色傅彩，把"夕阳无限好，只是近黄昏"的难状之景和景中人的惆怅之情都写了出来。像这样气韵生动而又格调高绝的标题音乐，乐史中并不多见！

德彪西

从古典派、浪漫派、后浪漫派到民族乐派，西方音乐文化的许多方面都发生了不少变化。但是真正使人有明显感觉的重大变化出现在《牧神午后前奏曲》问世之际。假如把这篇乐曲同《自新大陆交响曲》《悲怆交响曲》《蒂尔小丑》等作品安排在同一场音乐会里演奏，你也许想不到它们都是在上个世纪的1894年间几乎同时问世的吧？当你再有意识地对这些作品进行对照的时候，你就惊讶于它们之间的差异之大了。我们很难想象上个世纪末的听众在初次听到《牧神午后前奏曲》时的新鲜感与新奇感有多么强烈。大概也同在那之前印象派绘画登上画坛时的情况有相似之处。看惯了古典派、浪漫派绘画的人突然看到莫奈他们的印象派绘画，简直是难于接受的。

　　所以德彪西是一个里程碑，一个转折点。从他开始，音乐的大潮便在向着现代派音乐涌流了。

　　有趣的是当年被视为离经叛道的《牧神午后前奏曲》，如今也已经成了经典之作。这正因为它是一篇永葆青春的不朽之作。

　　但我们在倾听这篇音乐时需要了解的是，所谓印象派音乐并不能等同于绘画中的印象主义。德彪西不仅借鉴了印象派绘画，同时他还深受象征派诗歌艺术的影响。《牧神午后前奏曲》这篇作品就是以象征派诗人马拉美的诗为依据的，但我们也不要以为他是在图解那首诗。马拉美的诗朦胧恍惚，本来也无法照译为标题音乐。所以德彪西此作是只可意会难以言传的。根据诗歌谱成的音乐，已经不能再还原为原诗的语言了。但又有人利用这音乐编了一部舞剧。可以认为，那样的做法是焚琴煮鹤，大煞风景！我们听《牧神午后前奏曲》完全可以参考原诗，发挥自己的想象，但绝不能用原诗的文字来硬套音乐中的意象。其实最好的办法还是把它当一篇无标题的纯音乐作品来享受。

　　不像《牧神午后前奏曲》那么空灵，而颇能唤起听者的真实感受的，是《伊贝利亚》。《牧神午后前奏曲》把听众带进缥缈的仙境，《伊贝利亚》则送你去人间的乐园。两者的意象与境界有天壤之别，作曲家细腻微妙的艺术手法却各极其妙。听前一曲，你好像置身于一片清凉世界，即使有爱欲之念，也是已被升华净化了的。听后一曲，你好像来到了夏夜游园的人群之中，香泽微闻，中人欲醉。德彪西既是高明的"画师"，又是高明的"诗人"。他的杰作中总是既有诗情又有画意，而他用以咏诗作画的又是一套全新的音乐语言。他以与前人不同的笔墨抒发他全新的感受。

这种特点在其钢琴作品中也发挥到极致。他的钢琴曲《明月之光》，用了极经济的笔法便点染出了一幅格调高绝的画。还有《水中倒影》《月落荒寺》《叶底钟声》[1]《沉没的教堂》等等，都是音中有画又画中有诗，三者交融难分难解。

德彪西的印象派音乐富于诗意，不像印象派的画往往只注意捕捉眼前景中的光与色。更可贵的是他的音诗音画中还蕴含着微妙的人情味。《亚麻色头发的少女》与《阿拉伯风格曲第一号》，初听只觉其美，听熟了便又从中感受到曲中有人，曲中有情，有深情！你会不期而然地联想到欧·亨利的凄恻动人的故事。

把自己的笔力发挥到巅峰高度的是管弦乐《大海》，他自己虽题之为"素描"，其实是气势磅礴笔力千钧的壁画巨制，也像是一篇气象阔大的"海赋"。音乐文献中写海的妙品虽然不少，有哪一篇能同他的这篇相提并论？

这《大海》三章并不是很好懂的音乐，头绪纷繁，笔法新

1　*Cloches a travers les feuillies*，现在通常译为《透过树叶间的钟声》。

奇，一开始接触它，会觉得像生平第一次见到茫茫大海一样为之茫然。然而这是值得花工夫硬着头皮读的杰作。听了这一曲，再看描画海景的绘画，再听别的写大海的音乐，便觉得没劲了。德彪西笔下之海则是汹动着的一个有生命的巨灵。别人描写海的音乐，再逼真也不过画出了海面上的风光，而德彪西的音乐叫人觉得自己置身于大洋巨浸之深处，更立体地感受着那个巨灵神的心搏与悸动，同时还感觉到上有无际之空间，下有更不测的深渊。

最不可思议的是，这位画海的高手并没有像里姆斯基－科萨科夫那种乘军舰巡游四海的经历，他一生中只不过曾去海滨消磨过不长的时间而已。然而他竟能从相貌到魂魄为大海传神。这也像他写西班牙风味的乐曲，博得西班牙人德·法亚的叹服，说是比他们写的还要西班牙。而其实德彪西并没有作过西班牙之旅，仅仅去过法、西边界上一观斗牛之戏而已。

印象派曾一时大流行，学印象派的小乐人很多，然而并未能留下多少值得列入"必读曲目"的作品。但德彪西作为祖师爷，他的代表作却传世不朽，成了常听常新的经典了。论者认为，印象派并不成其为派。真正称得上印象派的，德彪西一人而已。这真所谓"自成一家"了！

回到贝多芬以前的时代

从贝多芬一直读到德彪西，我们认为必读的作品竟已列举了这么一大堆！其实这在音乐史上所占的过程不过一个世纪而已。但这也是乐史上最热闹最绚烂的一个世纪。在德彪西之前，瓦格纳和他的老丈人李斯特等都已经在音乐的革新上做了许多大胆的实验。从瓦格纳的作品中，人们听到了前所未有的和声。在李斯特晚年的作品中也有听起来不能不佩服其求新的勇气的创造。德彪西更是一个新的突破。在他的启示之下，头脑更新、胆气更大的音乐家对德彪西也觉得不够新了。于是，犹如打开了一道闸门，音乐新潮以不可阻挡之势冲向了 20 世纪。我们听德彪西的作品，再向前向后眺望，便会觉得他既像是一个总结，也像一个新的开头。

但同样叫人感到惊奇的是，一种怀旧与怀古的情绪也在作者与听者的心上兴起，越来越浓了。在以往，人们一度把巴赫的音乐束之高阁。所幸前有门德尔松，后有勃拉姆斯等人的热心鼓吹，人们才重新发现了巴赫。不但如此，巴赫的复调音乐越来越吸引听众，他的地位越来越崇高，高踞古今乐坛之首了。莫扎特的作品也遭到过轻视。当浪漫派、标题乐与李斯特一派的"新音乐"大受欢迎之际，莫扎特的音乐也曾被认为平淡；到了这时被重新认识，变得更受尊崇了。有趣的是复古怀旧的兴趣也让听众发现了巴洛克音乐的价值，简直好像是 19 世纪的考古队发掘出了一个地下宫殿。

这种现象之出现并不仅是由于人们已经吃腻了浪漫派和标题乐那一套（二者的末流也颇有化为言之无物的"八股文"

的），所以才既喜新，又念旧；而是说明了以往的音乐确实有生命力，有其不可磨灭之美。所以其乐虽旧，人们听了反倒觉得耳目一新了。而且还有一层，不妨借孟子对齐宣王说的那句话来用，"今之乐犹古之乐也"，今之乐是从古之乐中演变而来的，听古之乐，可以知其源，可以观其变，那当然是能大开眼界，激发读乐之兴的。

那么，让我们也来倒读乐史，返顾 18 世纪及其以前的音乐，看看怎样选读贝多芬以前的作品。

莫扎特

选贝多芬的作品叫人为难，因为重要的太多了，叫人难以取舍。选莫扎特的作品可以说更难以下手。当代大指挥家索尔蒂有句话："莫扎特的作品无句不美。"这是一个莫扎特信徒的激赏之言，当然不必太当真。但莫扎特以朝露般短促的一生，于不足三十年中泉涌一般写出了那么多作品，编号编到六百多号，近年来发现集外遗珠的消息还时有所闻。这六百多号作品中，美妙绝伦的杰作真是琳琅满目，叫我们听的人如何能割爱！

有一个道理很重要，必须了解。莫扎特的作品并不是那么好懂的。何以见得？众多的爱乐者都可以作见证，当一个人年轻气盛之日，听莫扎特的作品多半会诧异：如此平淡无奇的音乐有什么可听的！至少也会觉得它不如别人的音乐有劲。待到读乐的体验丰富、深沉了，鉴别的眼光提高了，才会逐渐发现莫扎特之美，越读越觉得有滋味，以致五体投地，成为信仰坚定的莫扎特迷。

萧伯纳这位大文豪又兼音乐评论家在其乐评中承认，贝多芬与莫扎特这二者谁更伟大、谁更可爱这个问题，要作出评价与回答，他曾深感困难。

莫扎特的作品并不好懂还有一个原因，那是同纯音乐与标题音乐的问题有关系的。听贝多芬以及浪漫派人的作品，一般人可以借助文学与美术的所谓形象思维，因而感到容易理解，容易共鸣。而莫扎特的作品基本上是纯音乐。（有的虽勉强可以当作标题音乐听，却又并无标题可作向导。）如果你不了解音乐艺术自有其艺术规律也自有其美，自然会觉得茫无所依了，所以说，要听出莫扎特的乐中真味，就得学会听纯音乐，而这是必须多听多体验才能养成的。

莫扎特的交响曲

莫扎特是音乐艺术的全才，他在各种体裁方面都留下了代表作。首先是交响曲这一门，他作的编了号的一共是四十一部。这虽然比不上海顿的多（一百零四部），然而比海顿的交响曲重要得多。人们不可能也无必要遍读这几十部交响曲，一般是只读那最后的三部，即第三十九、四十、四十一，这些也被公认为他最重要的三部交响曲。

　　在这最后的三部交响曲中又以《g 小调交响曲》和《C 大调交响曲》为最。莫扎特毕生所作，大多是愉悦欢快的。《g 小调交响曲》却似在倾诉他心中的烦忧，特别是第一乐章。这是一篇质朴而又深沉的音乐，认真倾听这篇音乐，你对莫扎特那个人会有更深的理解。《C 大调交响曲》被人加上了"朱庇特"（希腊神话中的雷神）这名字。我们不用理会它，它无助于我们的理解。此作最末一章是复杂的复调音乐。莫扎特把好几个主题用复调手法交织在一起，造成了一座壮丽宏伟的音响殿堂，气魄之大，在交响乐史上前无古人。但是我们不要满足于只听这最后的三部杰作，仅仅听这些，还远不足以认识他的交响乐艺术。还有几部也应该必读，即所谓《林茨交响曲》《巴黎交响曲》和《布拉格交响曲》。这些地名标题虽都事出有因，我们可以不去管它，因为与音乐的理解毫无关系。其中尤其是《布拉格交响曲》千万不可错过！

莫扎特的歌剧序曲

　　虽然莫扎特最大的贡献之一是在歌剧方面，篇幅有限，本书不拟谈歌剧音乐。但是他有两篇歌剧的序曲是必读之曲。一篇是《费加罗的婚礼》序曲。它并不长，演奏速度又快，三分半钟之内便可奏完。然而蕴藏在那二百多个小节中的音乐能量是极大的。如此惊人美妙的音乐，可以振聋发聩，可以使人对人类和艺术的前途充满信心与希望。它虽是歌剧的序曲，却并不提示剧中的具体内容，只是一种情绪的导引，预告了那部喜剧中的精神与气氛。我们今日每听此曲，会觉得它宣扬的还不仅是那部歌剧中的精神而已，还可以从中听出那个处于法国大革命前夜的时代中酝酿着的对光明的憧憬。

听《费加罗的婚礼》序曲，人们会从美中感受到力（这种力又不同于贝多芬作品中的力，这一点值得玩味），为自己能体验此种美与力而感到幸福。莫扎特的一生虽然并非像传说中那样贫寒潦倒，但也并未尝到人生的幸福，却能谱出这种给人以极大幸福感的音乐，不可思议！

另一篇是《唐璜》序曲，向来流传有关此曲的美谈，说它是已到歌剧上演前夜，莫扎特才在老板催迫之下开夜车一挥而就。今天的研究者考证，准确的说法是在开演前两天。

歌剧《唐璜》被认为是莫扎特歌剧创作的最高峰。这篇序曲并不长，从总谱上看也似乎非常简单。但是评家惊叹于它为全剧情节作预示的效果，不用多少笔墨便提示了不样的预兆。

莫扎特的协奏曲

莫扎特在乐艺上无所不能。他是伟大的作曲家，又是卓越的器乐演奏家。钢琴尤其是他得心应手的乐器。钢琴协奏曲在他的全部作品中占有极重要的地位，同他的交响曲、歌剧同等重要。我们读莫扎特，绝对不可不读他的钢琴协奏曲。他一共写过二十几部钢琴协奏曲。其中近十部是绝妙的音乐。在这里面我们必读的至少有三部，即《第二十一钢琴协奏曲》《第二十三钢琴协奏曲》与《第二十五钢琴协奏曲》。只能再添不可再减了。

莫扎特的钢琴协奏曲都是独奏乐器和管弦乐相互协作的交响化的音乐，要当作交响曲来听。它们都是纯音乐，无须强求其具体的意象。但也有人认为，他这些协奏曲犹如无题无词的歌剧，从其中不难听出各式各样的人物和情节云云。莫扎特的音乐世界是非常多样化的，怎样听他的音乐，完全可以仁者见仁智者见智。

莫扎特的五部小提琴协奏曲，爱听者之多也许超过了他的钢琴协奏曲的听众。这是因为小提琴这种旋律性乐器更能吸引人。

可惜的是，他有一部非常精彩的作品，还不是每一个爱好者都熟悉的，它是《小提琴与中提琴交响协奏曲》。

还有更受到忽视的作品。甚至连专业的乐人也轻视这首可爱之极的作品。这就是莫扎特的《C大调长笛、竖琴协奏曲》。两件独奏乐器加上一支很小的乐队，从那谱面上看，的确是简单得很。当年的奥地利君主曾经批评莫扎特不该用太多的音符，莫扎特的回答是："陛下，一个音符也不多！"如果奥皇听这篇音乐，恐怕又会嫌他用的音符少了些吧？这篇像一种不经意之作的音乐，从写作过程来看也可能授轻视者以实。它是应一个吝啬的贵族之请而作的。此人附庸风雅好吹长笛，其

女则常弄竖琴（这乐器当时也是种家用乐器）。莫扎特那时正
教这位笨小姐作曲。贵族要他作此曲好去向人卖弄，交件之后
竟不肯如约付酬，还说什么叫你来教课已是抬举你了。同如此
庸俗的人与事联在一起的这篇音乐，却是人间最天真烂漫最惹
人爱的乐曲之一。如果你听出了味道，爱上了它，那么你就再
也听不厌，你听着听着，总是会因其太美妙而心痒难搔，徒唤
奈何！

　　常常被人疏忽的另一类作品是他的小提琴与钢琴奏鸣曲。
其中最值得首先选听的，也许是那篇最短小的，即《G大调
奏鸣曲》。它也属于这样的音乐，你听了总是会喜不自禁，而
又只恨找不出恰当的语言来向朋友形容它的美妙，因而不胜
惆怅。

巴洛克音乐

　　从莫扎特再上溯乐史之流，我们要读的便是巴赫与亨德尔
了。他们是属于巴洛克时期的。这在我们的听觉与心理上都需
要一种大的调整才能适应。因为我们是从主调音乐时代返回到
复调音乐的时代去。这两个时代的音乐，写法和给人的感觉是
很不相同的。当你听主调音乐的时候，旋律同和声结合在一
起，但旋律总是占着一个主要的地位。你只要听懂旋律，抓住
它，跟着它走，即使你暂时丢开了和声，你也算是听出了一部
分，不是毫无所得。听复调音乐则是几个声部几条旋律，同步

或是参差不齐地一起进行，交织在一起。此时如果只盯住其中的一条旋律，却顾不上听别的声部、旋律，那么你就听不出多大意思。因此复调多声部音乐并不是很容易就能听惯的。

巴洛克音乐的特点还不仅是复调这点，还有其他特点，所用的乐器、乐队、调式、装饰音等等都和后来的音乐不同。乍一听巴赫、亨德尔那时代的作品，会有耳目一新之感。这其实是古意，它们是古意盎然的。然而古乐并不是已经死去的音乐，并不是音乐木乃伊。在它们的古意中蕴含着不朽的生命力。人们不但可以从巴洛克音乐中听出古人的心声，这本身便极有价值了；同时还可以感受到现代人也会引起共鸣、受到启示的东西。这也正是巴洛克音乐还潮，巴赫、亨德尔的作品不朽的道理。

巴赫

要从巴赫、亨德尔的作品中选必读之曲也叫人为难。他们的重要作品太多，也太不容易读懂，我们时光有限，知识、经验也太少，如何能贪多硬啃，唯有望洋兴叹而已。这里的"洋"是实实在在的洋。"巴赫"这个词在德语中就是小溪之意。你翻开贝多芬的《田园交响曲》第二乐章总谱，可以看见作者写的标题是"在小溪边"。其中那个"小溪"也就是"Bach"这个词，正因如此，乐史上才有那个"世说新语"式的警句——"贝多芬说：'他不是小溪，他是大海！'"

巴赫的作品数量惊人的多，在历代大师中是突出的。如果按作品编号来说，贝多芬是一百三十多号，如果再加上未编号的，总共不过三百左右。莫扎特的作品编号编到六百多号。而巴赫的作品号码突破了一千大关！在这洋洋大观的巴赫文献中，有许多作品有乐史价值，可供研究巴洛克音乐与"巴赫学"的专家学者去探索，本来就轮不到我辈凡人去问津的。然而我们应该读而且能够读通的仍然是一个巨大的数目。比方单是那两部被推崇为钢琴演奏家的"旧约圣经"的《十二平均律钢琴曲集》，共有四十八曲。每一篇乐曲并不长，比贝多芬的奏鸣曲短得多。然而我们是否有通读这部"圣经"的能力、勇气和耐性呢？我们没有那个消化力。即便硬着头皮开了个头，也是会中途退却，掩卷叹息的。

复调音乐难读，也因为它比主调音乐要求更加聚精会神，思想与感觉高度集中，丝毫不能心猿意马。巴赫的复调作品，听起来比亨德尔的难度更大。所以在钢琴上弹复调音乐固然不容易，坐在一旁听也是并不轻松的。如果你毫无经验，那简直成了一件苦事。萧伯纳写过一篇风趣的文章，就是讽刺挖苦英国维多利亚时代的上流人不懂装懂自鸣高雅的。这种人坐在沙龙里欣赏音乐，当来宾弹奏巴赫的乐曲时，常常便出现了主客皆为之大窘的场面，听不懂的赋格曲成了烈性的安眠药了！

这外号又叫"48"的《十二平均律钢琴曲集》中开宗明义的第一篇是《C大调前奏曲》。这篇音乐听上去似乎并不深奥得令人可畏，反而像是太简单。即使钢琴学了不久的孩子也不难在琴上弹奏无误。实际上，就是从这篇只有三十四小节的短曲中也可以认识下巴赫，感受一下那种清纯庄重的气息。它虽然初听非常简单平淡，有点像钢琴练习曲，似乎没有多大意思，然而说也奇怪，这是一篇最经得起反复演奏与倾听的音乐。不同的演奏家可以从中演绎出不同的意思。

赋格曲虽然难懂，听起来十分吃力，但也有比较容易听出兴趣的赋格曲。如今的爱好者似乎颇乐意听的是巴赫的《d 小调触技曲与赋格曲》。但是另外还有两首赋格曲，也许是更有吸引力的，即巴赫的两部《g 小调赋格曲》。这两篇管风琴曲调性相同而曲子一长一短，因此在曲题后面各注以"大""小"二字，以资识别。

巴赫写了几部无伴奏小提琴组曲，技巧艰深而乐境深邃，那是小提琴家们的"圣经"，是音乐文献中的烜赫之作。其中有一个乐章是《恰空舞曲》，演奏家常常将其抽出来单独演奏。我们也可以从欣赏这一篇《恰空舞曲》中领略巴赫的无伴奏小提琴作品的美妙。这也是复调音乐。用一把旋律性的乐器来演奏出有多声部效果的复调音乐，对于演奏者是艰巨的劳动，对于欣赏者来说却也需要调整一下听赏的习惯，因为这同听一般的只奏旋律的小提琴是不同的感觉。此曲从一支主题上衍化出多段变奏，这许多段变奏又贯串发展为全曲。从小小的一支没有伴奏支撑的小提琴上，音乐变化多端地进展下去，最后结束时，听者恍如游览了一座宏伟的音响之宫。

上面提到的这些作品是他的大型作品。同样引人入胜的也有小型作品，就是他的两部《创意曲》。它们在今天成了每一个学钢琴的学生的必修课。其实也应该是我们的必读书。倾听这两集复调小品，你会获得极有益的训练，也会享受到听复调音乐的乐趣。这三十篇小曲各有其不同的意趣，绝不相互雷同。它们是巴赫这位大匠抽空制作的小件工艺品，但我们不但可以由此而进入听赏复调音乐之门，同时又可以从这些情绪丰富多样的音乐中窥见大师的心曲。

亨德尔

亨德尔和巴赫是并肩而坐的两位巨人。他们同年同岁，同处巴洛克时代。可奇的是这两人的个人乐风完全两样。我们用不着听他们的很多作品便可以感到这种不同。从时代风格的大背景中注意辨认这种个人风格的差异，对于音乐欣赏是极重要的，也很有味道。

有些人更喜欢亨德尔。贝多芬便是如此。中国的文学翻译家傅雷也是喜欢亨德尔的一个。

亨德尔的风格特色是明朗而壮阔。听他的音乐是非常舒畅愉快的事。他的作品并不深奥费解，但这种通俗易解又绝不是因为浅薄。他的作品没有什么编号，整个作品目录排起来也有二十多页，但是如今仍然经常演奏的不多了。其中最重要、最光辉的当然是家喻户晓的《弥赛亚》，每逢圣诞节日，便到处都可听到这部音乐。最值得注意的是其中的大合唱曲《哈利路亚》，应该是我们的必读曲。亨德尔音乐的风格之崇高伟大充分表现在这部大合唱里了。

有意思的是，在信仰基督教的人耳里，它自然是唱出了他们热烈虔诚的信仰，但在不信教的爱乐者听来，它也是非常可喜令人深为感动的。它可以说是贝多芬那篇《第九交响曲》中的《欢乐颂》的前奏。它是对人类进步与光明的一曲颂赞歌。亨德尔即便只有此曲，也完全可以永垂不朽了！

巴赫和亨德尔是巴洛克音乐的两个代表。那是个大师辈出的时代。大师们都是多产作家，作品之多令人吃惊。当时有的人声名显赫，有时还超过了默默无闻的巴赫，后来他们的名字却几乎被人们遗忘了，因为巴赫和亨德尔的巨大身影把这些人遮住了。近世以来，古乐回潮，巴洛克大热。人们不仅更爱听巴赫和亨德尔，也爱听起斯卡拉蒂、泰勒曼、维瓦尔第等人的作品了。但是我们关于选择必读曲的议论只好就此打住了。因为，还得把宝贵的读乐时间留给"可读之曲"。

可读之曲

前文中提出的"必读之曲"，绝大部分当然是经典之作了。但是"可读之曲"，却并不都是够不上经典之作的水平的。把许多重要作品移到这一部分来介绍，纯粹是考虑到一般爱乐者时间有限，还加上其他条件的局限而已。

那么也就不难想见，既然本来应该精读的典范之作我们都读不了，可以泛览的好作品就更是读之不尽了。但是我们在选取可读之作时最好是心中有谱，不能漫无计划。更不可取的是那种跟在时尚后边"发烧"的做法。

泛览也得有个路子，不妨有几种不同的办法。一种办法是大体上仍按着乐史、按重要作者来选择。这样既可以了解音乐文化继承发展的来龙去脉，也可以深化对已读的"必读之作"的理解。

再谈巴赫

从巴洛克音乐说起吧。巴赫的作品，除了前文推荐的，还有哪些可读?

他的《d 小调双小提琴协奏曲》就是很值得一听的音乐。巴赫的音乐中既有宗教气味极浓的严肃而虔诚的，也有充溢着人间情味的。后一类当然更易于为我们接受。前者令人可敬而往往又有点怕接近，后者则令人可亲可近。像这一部作品便是可亲可近之作。

《勃兰登堡协奏曲》一共六首。这在巴赫作品中占着重要的位置。如果不可能全听，可以听第五首。这种大协奏曲不同于后来的协奏曲之处是同管弦乐对话的不是一件独奏乐器，而是一小组乐器，这小组中包括几件独奏乐器。巴洛克大协奏曲由于乐队的不同和复调多声部进行等原因，音响和乐趣自有其特色。只要耐心听出头绪，是审美的很高享受。

关于巴赫的《G 弦上的咏叹调》这一曲，不妨多说几句。这首由小提琴家维尔海姆改编的小品，很久以来是小提琴演奏家和小提琴音乐爱好者的心爱之物。一般人从来不知道其中大有问题。音乐学者又是热心于普及严肃音乐的托维，在其名著《交响音乐分析》中把这个问题提了出来。原先对这篇小品着迷的人看了他的文章必然大吃一惊。

原来此曲是《D 大调管弦乐组曲》中的第二乐章。维尔海姆把它改成了 C 大调，又把主要旋律都放在小提琴最低的那根 G 弦上演奏，因而得了《G 弦上的咏叹调》这曲名。其实巴赫原作并非如此，效果也完全是两个样子。原作是"女高音唱的天使般的音调"，改编后则是"女低音般的深沉的音调"了（都是托维说的）。但严重的歪曲在于改编曲中把主旋律移到低音声部上，却让原作中的内声部（即介于高、低声部之间的声部）原封不动，从而歪曲了和声效果。托维申诉道："这是对巴赫的亵渎！"还有一位大指挥家魏因迦特纳，把原作改由一支弦乐队在 G 弦上演奏歌调，尽删其他声部，以逃避和声上的矛盾。托维也骂他是别出心裁反而弄巧成拙。

巴赫的作品实在太多，纵然把主要时间都用来听他也是听不尽的。他有许多作品很难懂，但是对我们读乐求知的毅力是很好的考验，从它们的艺术价值来说，不听实在是于心不安。见识见识总比全然无知的好。某些作品对你也可能有缘分（指在某一方面有共鸣点），一下子吸引了你，从此乃成为你的必读之作，心爱之作，也是可能的。

比方他还有一套《大提琴独奏组曲》，这和他的《小提琴独奏组曲》一样在音乐文献中是经典之作。大提琴演奏大师、西班牙人卡萨尔斯当年录制这套作品的唱片，非常审慎严谨，一年只录其部分。他要慢慢琢磨自己的演绎艺术，尽管他的技巧已是炉火纯青登峰造极了，但他绝不肯贬损了这件珍贵的艺术品。然而这部作品我们凡人可能是很难听出什么味道的。

还有他为羽管键琴写的许多作品。如《英国组曲》《法国组曲》《意大利协奏曲》等都是他的重要作品，经常列在钢琴家节目单上。一个人如果能有听这些作品的兴趣，那就说明他的欣赏水平是够高的了。

还有三部重要作品，一部是《赋格的艺术》，一部是《哥德堡变奏曲》，还有一部《音乐的奉献》。从前，哪怕是专修音乐的人，恐怕也欣赏不到这些名作，只能仰慕而已。今天音乐技术发达，唱片大普及，连我们这种普通的爱乐者也不难欣赏它们了。如果对巴赫特别感兴趣，那么是应该见识一下的。

留待我们去读的名作还多着哩。巴赫写的宗教音乐是其作品中极重要的部分，其中尤为重要的如《马太受难曲》《b小调弥撒曲》等。像这种分量沉重的鸿篇巨制，我们也只好"虽不能至，心向往之"了。

还要提一下，听巴赫，除了听原作，还不妨听听将原作移植到管弦乐中的改编曲，例如上文中推荐的两部《g小调赋格曲》，还有一篇宏伟壮丽的《帕萨卡里亚舞曲》，这三篇管风琴曲都被指挥家史托可夫斯基改编成了管弦乐曲。这种改编曲也是一种"译本"。听忠实的"译本"是有益的，不仅可以增加听赏的兴味（因为管弦乐比管风琴更丰富多彩），而且经过改编者的精心处理，可以听出某些你原先未曾注视到的细节和效果，有助于加深对原作的感受。

亨德尔

至于亨德尔，除了十分流行的《水上音乐》和《皇家焰火》之外，可以听他的管风琴协奏曲、小提琴奏鸣曲和大协奏曲。

至于那首《广板》，你恐怕早已熟悉了。此曲流传极广，而且根据它改编之曲多得令人惊讶，足见其是怎样的深入人心了。他还有一首钢琴变奏曲，被别人题上了《快乐的铁匠》，这题目其实是取得不坏的。此曲虽并无深意，但那种明朗而温煦的情绪是雅俗共赏的。

其他的巴洛克音乐

倘还想对巴洛克音乐作更广泛的涉猎，那么可以听听斯卡拉蒂的钢琴奏鸣曲（原作是为羽管键琴写的）。他这种短小精悍的奏鸣曲，风味和后来莫扎特、贝多芬的奏鸣曲迥不相似，也很不像和他同一时代的巴赫、亨德尔。对比之下，我们会惊叹音乐大世界中的多样性，同时又可以磨练自己感受、辨别不同风格的能力，而且这种对不同风味的品尝本身便是一大享受。

再听听泰勒曼的作品，又跟以上诸人不同，另是一种风格。我们要深入感受巴赫、亨德尔的个人风格，也必须从这样的多方对照之中才能有所领悟。

泰勒曼的作品中有的用了竖笛。它是巴洛克时期流行的木管乐器，音色柔美，别有风味。我们听巴洛克音乐，可以同时留心听此类比较古的乐器和结构特别的巴洛克乐队的效果，例如在巴洛克时期极重要的角色——羽管键琴和古提琴等。还要注意听的是所谓"通奏低音"的效果，它是形成巴洛克特色的一大要素。如此你才能对巴洛克音乐风味获得更真切的感爱。

维瓦尔第

维瓦尔第也是巴洛克音乐中的主角之一，又是像巴赫、亨德尔、泰勒曼那样的高产作曲家。他的小提琴大协奏曲《四季》，是如此地流行，再来推荐它也许是多余的了。但他还有不少可以一听再听乃至多听不厌之作。主要是大协奏曲，他几乎为各种重要的独奏乐器都写了大协奏曲。维瓦尔第的乐风别具一格，虽然其作品说不上如何深刻，但是清新爽朗，绝不费解，而又颇能反复听赏不失其魅力。《四季》之流行不衰，唱片版本多，是并非偶然的。

海顿

接着巴洛克的是古典派，代表人物首先是海顿、莫扎特。在议论"必读之作"的上文中我们委屈了"海顿爸爸"，没有举他的大作。在此需要补课。海顿也是一位多产作家。交响曲的发展是多亏了他的。而他写的交响曲，数量之多也是后无来者。产量高当然因其创作力的旺盛，肚子里货色多，拿得出然而也有其特定的背景。他那时代的乐人要有饭吃、有名声，只靠个人奋斗不行，随你有多大才气也不行，还得依附一个保护人，受雇于某一王侯贵族之家，为之作乐。乐人的处境介乎倡优与清客帮闲之间。可敬的海顿便是长期在奥匈帝国的匈牙利一个亲王府中当差，身上穿着号衣，到开饭时只可坐在放盐瓶的地方以下的位子上，同低级仆役们坐一起，还抵不上府里的大管家有地位。亲王们用饭、宴客、举行舞会，海顿便得带领乐队演奏他奉命谱写的作品。他必须按照亲王的指示随时供应新的节目，其中包括新的交响曲。与海顿同时的作曲家狄特尔斯多夫[1]在自述中告诉我们：有一次，雇用他的那位贵族交代他写六部交响曲，而且要快点写出来，除了六部交响曲，他还得交出两部协奏曲，云云。

音乐家变成了音乐匠，奉命作曲也成了例行公事，不能等待有了创作灵感再动笔。天分很高又有才能的海顿便是在这样的时代中熬出来的。所以他创造了那么多的作品也是事出有因的。我们今天要通读他那一百零四部交响曲也办得到，因为有唱片全集。海顿的风格听上去和莫扎特很相似，往往叫人难以区别。这是因为他们处于同一时代，不但接受了相同的影响，而且两人也相互影响。有趣的是，首先是海顿影响了年轻的莫扎特，然后反过来是海顿从莫扎特那里得到了启示。我们从这

---

1 Dittersdorf，现在通常译为迪特斯多夫。

种风格的相近相似中可以悟到流派风格是如何形成的。当你听到比他们的时代略早一些的曼海姆乐派人的作品时，也就会理解到海顿、莫扎特的风格是有来源的了。

海顿的交响曲不但数量多，标题也是五花八门，其中的《惊愕》《告别》《军队》《时钟》已经成了音乐会的保留节目，也是我们可以首先选读的。除此之外还有什么《玛丽亚·泰蕾莎》《莱茵》《牛津》等等。最末一种是其晚年更为成熟之作。但是海顿交响曲作品的许多标题是别人随意加上去的。我们听赏时简直可以不去管它。

玩具交响曲

还有一件事关系到海顿的著作权，值得一提。

这就是《玩具交响曲》的作者到底是谁的疑问。这部小小的交响曲非常惹人喜爱，简直可以收进"必读曲目"。虽然是简单的结构，所用的乐队也等于是放大的弦乐五重奏，却奇特地加进了好几件儿童玩具当作打击乐器加强舞台效果（如模仿杜鹃与莺叫声的鸟哨）。这种做法本来有可能流于幼稚甚至庸俗的，可是它那田园风的音乐和有童趣的玩具效果非常和谐，融合为一种天真烂漫的美。凡是未失赤子之心的人一听便会动心，也从此永远喜爱这微型的交响曲，交响曲中的"儿童"。它那恬然自适的气氛也叫人听了如读文艺复兴时期的一幅名画，乔尔乔纳的《田园》。

　　这部作品在以往都是归在海顿名下的。可能因为大家觉得它同他那慈和幽默的为人与乐风可以互证吧？经过现代的乐史家查考，许多人认为此作的版权大概应属于老莫扎特，即那位神童大天才莫扎特之父，利奥波德·莫扎特。他呕心沥血地培养出了一位伟大的音乐大师，这同他本身就是音乐家也是有关系的。虽说他原先并不是专修音乐的，后来却精研音乐深通其道，尤其精于小提琴演奏的教学法。他写了一部小提琴教程，被推崇为18世纪音乐学三大论著之一。人们更想不到的是他又是一位多产的作曲家。交响曲他写了一大堆，还有大量的其他乐曲。很值得注意的是，他不但写了标题性的音乐，而且不拘程式地运用了许多不符合常规的音响效果，例如加进手摇风琴、风笛之类的民间乐器，有时甚至把非音乐性的声音也用上。例如在其写狩猎情景的音乐中可以听到人呼犬吠。所以他在《玩具交响曲》中使用玩具来表达他的创作意图是不奇怪的了。老莫扎特虽然作品很多，却没有"晚期之作"，否则一定还有更进一步的创造。但是人们也不必感到遗憾。老父用后半辈子的心血浇灌培植出来的人类奇迹——伟大的莫扎特，正是他的"晚期之作"，而且是他毕生中最大的贡献。

海顿的其他作品

　　回到海顿的作品这话题。除了交响曲，可听的还有不少。《创世纪》是他的一部声乐曲，一部气魄宏伟的人声"交响曲"。他的大提琴协奏曲是大提琴家们的保留节目，属于大提琴文献中屈指可数的重要作品。

对于室内乐，海顿的贡献不亚于他在交响乐方面的作用。正像他写了许多交响曲，他的弦乐四重奏作品也是多得读不了。有趣的是其标题之多也像他的交响曲。有的标题怪得匪夷所思，像《狩猎》《鸟语》《云雀》《梦》之类是比较好理解的，《云雀四重奏》是经常可以听到的，其名来自第一乐章中主题引起的联想。但也有人根据末章的特点，改题为《苏格兰风笛》。题得古怪的有《蛙》，一名《火灾》，又名《维也纳之乱》。更滑稽的标题是《剃刀》。据传，大师一日正刮胡子，剃刀太钝，受不了。他气得嚷道："我情愿拿一部最好的四重奏换把好剃刀。"正好此时有个出版商登门索稿，两方成交，而那部作品也得了这一外号。

室内乐是倾向于纯音乐的，本来并不需要什么文学性的标题。何况海顿作品的这些标题完全出于乐谱商或其他好事者的心血来潮，借此作广告，招徕顾客而已。所以不足为据，听赏时不必去考虑它。

再谈莫扎特

莫扎特的作品，在"必读曲目"中已经提了不少，但我们应该尽可能多读他的作品，那是绝不会叫你感到无所得的。他写的钢琴奏鸣曲值得细读。这些奏鸣曲假如不多听几遍是难以发现其中之美的。因为它们不大像他的其他作品，更加朴素、内敛，含义深而耐回味，是室内乐性质的音乐，只有从反复倾听中熟悉了它的思路，才可能发现其魅力。

将莫扎特各类作品的不同特点对照着听，可以发现他的艺术天地广大而多样，他可以用不同的语言和不同的对象对话。用交响曲、协奏曲向大庭广众讲话，是一种声音；在键盘上沉思、自白，同少数听众交谈，他用的是另一种语言。

莫扎特几乎为每一种适合写协奏曲的独奏乐器写了协奏曲，而且都成了这种音乐文献中的妙品。他为长笛写了两部协奏曲，为单簧管、大管各写了一部，为圆号写了四部。除了用一架钢琴为独奏乐器的钢琴协奏曲，还写了一部双钢琴与三架钢琴的协奏曲。所有这些都是值得欣赏的美妙音乐。非常可惜的是竟没有一部大提琴协奏曲。对于大提琴家和爱好者来说，这是一大损失。还有一件无可弥补的损失，他写的一部由四件管乐器主奏的交响协奏曲，曲稿在他身后被遗失了。我们从史料上得知，那是像他的《小提琴与中提琴交响协奏曲》一样精彩的杰作。我们只好为这种失掉的耳福叹息了！

从莫扎特心灵里流淌而出的音乐真多。有人说，他一生三十几年中写出来的，够一个熟练的抄谱手不停地抄写三十年。其实除了迷失不知下落的，他还有考虑了要写而终于未写到谱纸上的作品，原因是找不到主顾。

他还在百忙之中写了一些奇特之作。例如他曾为机械自动管风琴作了几篇乐曲（作品 K.594、K.608、K.616）。人们今天仍能听到这种作品的录音，不过是改由人在管风琴上演奏了。机械管风琴很早便在欧洲出现，它发出的声音跟管风琴没有什么两样。莫扎特另一些奇特之作是为玻璃琴而作，那种乐器的音响可就称得上奇妙了。这乐器发明于 18 世纪，何人发明已无可考。歌剧改革家格鲁克 1846 年在英伦演奏过它，所奏的是他为此器写的协奏曲。这事成了当时报章上的一条引人注目的新闻。

玻璃琴这东西用一套大大小小的杯状玻璃器皿组合而成。演奏者用沾了水的手指去摩擦也沾了水的杯口，激发其振动，发出的音响有点像弦乐器上拉出的泛音，而又更加空灵缥缈。因此曾风靡一世，连不少知名人物也为之倾倒。其中有富兰克林这位政治家，他改良了这个乐器，加上简单的机械，演奏起来更加方便了。当然我们更感兴趣的是莫扎特同这个乐器的关系。他对它颇为激赏，特为一位演奏名手写了乐曲，一篇是以此器为主的五重奏，《柔板》（作品 K.356）。在维也纳的某次游园会上他还兴致很高地亲手奏弄了一番这种时髦乐器。老莫扎特本想为爱子买一架的，可惜未能如愿，也足见其身价不凡了。从海顿和贝多芬作品目录上也都可以找到他们写的玻璃琴曲。今天的人可以从录音中听赏莫扎特的玻璃琴曲。这篇作品本身未必有多大价值，我们听它，却可以对这位大天才的多才多艺有更多的了解，在欣赏他其他作品时丰富我们的联想。

再谈贝多芬

我们除了倾听前面推荐的贝多芬作品，还可以从几方面来扩充对他的了解。在交响音乐这方面，可以遍读他所写的序曲。首先是《莱奥诺拉序曲》第一、第二和《菲岱里奥》序曲。在以往老式唱片时代，我们即使想把这几部贝多芬为同一歌剧而作的四部序曲对照而听也是不可能的，因为没有那些唱片。音乐会里除了《莱奥诺拉序曲》第三，也绝少演奏其他几首。如今已经有将这四首收在一套的唱片，真是乐迷的福音了！

贝多芬的《科里奥兰》序曲写得简洁明了，深入浅出，比较容易领会。可听的还有《斯提芬王》序曲、《雅典的废墟》序曲。另有一首从前很少能听到的《大厦落成典礼》序曲，现在也有唱片可听了。贝多芬为小提琴写了两首《浪漫曲》，一首是 G 大调，一首是 F 大调。后一作品更为可爱，它是贝多芬作品中最富感情的作品之一。它毫无矫饰，唯有真情。我们切莫只注意那旋律的动听，还应该从它所抒发的深情中走进贝多芬的内心深处。

贝多芬的三十二首钢琴奏鸣曲，我们虽不可能篇篇细读，但应该尽可能多认识几首。你每听到一篇原先未曾听过的作品，就会感到惊讶：他怎么有那么丰富复杂的感情，怎么有如此变化多端的音乐语言！他晚年之作我们可以承认自己听不大懂，甚至根本无法理解，例如作品 106 就像是这种读不懂的天

书。然而我们不必因此而气馁。有机会，还是应该鼓起勇气来
见识它一下，从中尽力获得自己的印象与感受，使之成为有朝
一日钻进去理解它们的一个起点。对于我们还陌生的作品，我
们要敢于进入未知的王国去作心灵的探险。对于那些我们比较
熟悉的作品，即使是并不难懂的小作品，往往也能从不同的演
奏者的精心演绎中获得新的感受。比方贝多芬那首《G大调小
步舞曲》，很简单的一首钢琴小品，小小琴童也会弹。（正因其
不难，二次大战后美国总统杜鲁门在一次巨头会谈的休息时忽
然手痒，要卖弄一番，便自告奋勇表演了这个曲子，传为笑
谈。）但是如果人们听一听小提琴大师埃尔曼怎样拉这曲子，
就会恍然知道它原来这样可爱。

　　到此为止我们一直在说贝多芬的好话。贝多芬的作品难道
就是篇篇珠玑，无一俗笔吗？并非如此。他有一部作品，在其
创作生涯中还并非微不足道之作，它是《惠灵顿交响曲》，又
名《胜利交响曲》。它既没有资格进入那九大交响曲之列，也
不受乐评家与乐史家的重视。论者为"乐圣"竟然写出这种东
西来而深感惋惜，觉得同大师的盛名太不相称了。以往在音乐
会节目单上是看不到这部交响曲的，也没有唱片可听。但人们
想象不到，此作谱成演出的当年，即拿破仑垮台、维也纳会议
召开的年头，此曲与其作者却曾大出风头，连演数场，听众也
反应强烈。人们可能更不了解的是，同此曲有关的还有一种奇
特的乐器和一桩没有谈成功的生意。

原来此曲原本并不是一部管弦乐曲，而是贝多芬特地为一种机器人乐队写的。那玩意儿是他朋友玛才尔[1]的创造发明。玛才尔同贝多芬颇有交情。贝多芬身后遗物中有耳聋助听器，就是发明者玛才尔赠给他的。玛才尔更出名的创造是节拍机。为此贝多芬在《第八交响曲》的谐谑乐章里模仿节拍机的声响来调侃它的发明者。音乐是幽默的，联想到这一背景，会更觉得滑稽有味。（有人考证，早在玛才尔之前，节拍机便已出世，是一个法国人做出来的，可惜太庞大笨重。）

至于此公制造的机器人乐队，更有趣也更惊人。据说它可以模仿弦乐、长笛、黑管、小号和打击乐器，可以模仿乐队合奏的复杂效果。玛才尔搞出了这机械乐器之后又想出了一个主意。他要带上这玩意儿到各地巡回演出，集资以供三人旅游之费。而三人者，除了他同贝多芬便是那机器人！这也是够幽默的，叫人想到英国滑稽作家写的一本令人喷饭的《三人出游记》。

所以《惠灵顿交响曲》是贝多芬重新改编成管弦乐曲的。也可能由于原作要凑合机械乐器性能的缘故，改成正规管弦乐曲以后仍然显得太嘹亮、热闹而不免粗糙了。但是听起来还是有趣的，因为贝多芬的作品再不济也是不会庸俗无聊的。同时它很能引起多方面的联想与思索：联想那个大时代的变幻，思

1　Maelzel，现在通常译为梅尔策尔。

索贝多芬生涯中的曲折。我们还应该知道，当这位伟人谢世，举世为之震悼，葬礼异常之隆重庄严，绝不像他的前辈莫扎特死后那么冷冷清清。墓前悼辞出自名诗人克列士帕策尔[1]手笔，由一位名演员朗诵。悼辞中提到的重大作品为数不多，值得注意的是《惠灵顿交响曲》赫然在其中！

到了 20 世纪，又可以听到不同于以往评价的议论，对此作由贬而倾向于褒了。

再谈舒伯特

舒伯特作品可听的很多。首先可以听且须仔细听的是他最后的那部《C 大调交响曲》，这也是他所作中篇幅最长的交响乐。它也同《未完成交响曲》的遭遇差不多，直到作曲家辞世之后多年，才幸而被发掘出来重见天日。因其很长，舒曼曾发出了"长得要命"的惊叹。

这部交响曲的情趣、气派完全不似《未完成交响曲》，其中充满了交响性的效果。不同的境界形成不同色调的对比。舒伯特在这里没有悲观与忧郁，而是高唱着明朗而欢乐的调子，它是值得反复倾听的，也不难懂。

至于舒伯特的另外七部交响曲，虽然也都自有其个性，却又常常发现他前人的影子，并无吸引人一读再读的魅力。如果

1　Grillparzer，现在通常译为格里尔帕策。

没时间去读，不会留下遗憾的吧？

　　然而他还有不可不听，不听确是遗憾的作品。在他的钢琴曲中，所有的即兴曲和瞬间音乐中的一部分，都是不可不听的。例如那一篇《降B大调即兴曲》，绮丽得犹如看一幅一段段展开来的织锦。还有特别值得提醒的一曲，《f小调瞬间音乐》。那么短，真是瞬间便奏完了。如果弹者随意，听者无心，很可能会以为它无足轻重。然而到了钢琴大师如威廉·肯普夫指下，却将这貌不惊人的小不点儿中的丰富内涵都表达了出来，令人不觉为之移情。

　　舒伯特的艺术歌可以多读，多多益善。此处之"读"包含着两个意思。不仅可以通过倾听来读，而且最好是自己唱。

　　《彷徨者》《菩提树》《在海边》《死与少女》《影》《何往》《水上吟》……都是可读的。

　　他的室内乐作品都绝不会使人感到枯燥费解，也可以多听一些。从很有深度的《死与少女四重奏》到篇幅庞大而美如锦绣的《F大调八重奏》都是如此。

　　管弦乐作品可听的还有《罗莎蒙德戏剧配乐》。协奏曲性质的作品有一首《阿帕乔尼奏鸣曲》。阿帕乔尼是一种音域介于中提琴与大提琴之间的弦乐器。

　　舒伯特的作品几乎都不妨去接近一下，它们都能使你如饮甘醇，和多情而又率真的作者共其哀乐，没有"隔"的感觉。但也并非没有例外。他晚期所作的一些钢琴奏鸣曲，虽然听上去并非不悦耳，然而要求得真解，其难度不下于听贝多芬晚期之作。这也是对鉴赏力的一种挑战。有可能的话，我们应该迎接这挑战。否则岂不是辜负了这位坎坷一辈子的薄命天才吗！

舒曼

前面议论"必读之曲"没有谈到这位浪漫派大师。既不是因其在乐史上地位不高，也不是因其作品肤浅无价值，主要是考虑到他的作品并不怎么好懂。

舒曼写了四部交响曲。那倒并不难读。可惜的是交响曲这种体裁的构思与表达同舒曼的性格似乎是格格不入的。他的特点是运思精巧细致而不免繁琐细碎，同时他写作管弦乐的功夫较弱，不善于运用配器语言，所以他的交响音乐听起来没有多大吸引力。例如《曼弗雷德》序曲便是沉闷的音乐。

他拿手的是那些钢琴曲。《嘉年华会》《蝴蝶》等是他的代表作。《童年情景》中的《梦幻》，历来是世界上极其流行家喻户晓的小品。但人们熟知这一曲多半不是从原作而是改编的小提琴独奏曲，还有其他各种改编本。结果弄得许多人只知有改编曲而淡忘了原作的效果与味道了。在改编本中人们容易只注意那被突出的主旋律，而钢琴原作中丰富的对位性织体[1]多少

1　织体，音乐的结构形式之一，常常涉及两个方面：一是在"时间"上的形式，
　　一是在"空间"上的形式。

被忽略，这就很可惜了！

舒曼是一位堪与舒伯特比肩的艺术歌曲大师。虽然我们听他的作品总觉得不及舒伯特有魅力，但应该知道的是舒曼对歌词的选择比舒伯特更加注意。舒伯特有些歌曲用了二三流的诗篇，舒曼则没有这种问题。他为德国大诗人海涅的诗篇谱写的《荷花》和《两个掷弹兵》都值得一读。房龙是一位在全世界都广受欢迎的大作家，他在其名著《人类的艺术》一书中说到，如果人们想知道从前何以有那么多法国人愿为拿破仑赴汤蹈火虽死不辞，应该去读一读海涅与舒曼的《两个掷弹兵》，就不难悟出其中道理了。

再谈门德尔松

门德尔松的作品中必读之作虽然不太多，可读之作却不少。以他的交响音乐作品而言，虽然《意大利交响曲》和《苏格兰交响曲》都欠深刻，也缺乏持久的魅力，但此外仍有相当精彩动人之作可听。《仲夏夜之梦》的配乐中除了序曲以外还有一些有价值的音乐。必须了解，那篇序曲是最先写出来的，但包括了好多段音乐的其他部分则是作于他去世之前四年。这些音乐虽然再也没有他十七岁所作的序曲那样新鲜，然而是艺术上的圆熟之作。其中有三篇最为出色。

一篇即是人们非常耳熟的《婚礼进行曲》。此曲不仅在音乐会上常奏，而且在西方人的婚礼中几乎是必奏之曲。一般是于婚礼之始用瓦格纳歌剧《罗恩格林》中的《婚礼合唱》（常改编为管风琴曲）；到婚礼告成时便高奏起门德尔松这一篇。正由于此曲已成了实用性的音乐，人们听得烂熟了，反而显得平常了。其实它是写得非常高雅华美的音乐，感情相当深刻。我们最好是像头一回听它一样来细细地倾听一番，便知其不简单。我们可以把它当作一种对幸福的礼赞来听，能把幸福感抒写得如此酣畅而又不流于甜俗是极不容易的。门德尔松能写出这样的音乐也并非偶然。他的一生是美满不过了。谁有那个福气在少年时刚完成一篇管弦乐作品便可亲耳听其演奏效果？同样是十七岁便开始写出自己的杰作，舒伯特就没有这样的幸运。他的许多作品直到死也未能听听实际演奏！这也可见门德尔松的音乐是有实感而非凭空想象的了。

在《仲夏夜之梦》配乐中另一篇杰作是《夜曲》。它的美妙也许可以认为是超过了《婚礼进行曲》。可惜的是许多人并未给以应有的注意。第三篇是《谐谑曲》，从中可以感受到作者的精力弥满，笔酣墨饱，不愧为大手笔。

还有几篇音乐会序曲，虽不及《芬格尔山洞》的精彩，但也各擅胜场，值得一读。其一是《美人鱼》，是一部以民间传说为本事的标题乐。门德尔松把它看成是自己最得意的作品。另一篇是《平静的海与幸福的航行》，所据乃歌德咏安渡海峡之旅的诗篇。那标题对于我们现代人并不能说明内容。现代人当然觉得平静之海是平安无事的，大诗人当年所乘的是帆船，死寂无风反而是令人心焦的事。上面这话是音乐学者托维所云。他还指出，门德尔松的处理同另一篇同一标题的音乐很相似。另一篇便是贝多芬写的合唱曲，但极少演出，门德尔松不可能听到，对比两人的不同处理也很有趣。门德尔松的结尾比贝多芬的合唱更有力量。他并未落套，没有转为很快的速度而用了威严的节奏。这不光传达出陆地已经在望的喜悦，而且望见有人（显然是官员）来迎候（我们应联想到大诗人的身份地位）了。听者还应该等着仔细欣赏那末了的三个和弦，那会给人以一种高水平的诗意感而使人为之惊喜。

还有一篇序曲相当流行，即《罗伊布拉》[1]，它采取法国诗人雨果的一部名剧为题材，很有吸引人的戏剧性，虽然受到感染的听众也许并不清楚原剧的情节。托维的说法很妙，他认为此曲中可以提示的任何一种情节都比雨果原作更为合适。如果为它另拟一个文学标题也是很有意思的事。这种想象的分歧多义性正是音乐欣赏中极常见也极有趣的现象，人们不必对此感到不可理解。

门德尔松的《无词歌集》中有不少可读之作。集中有好几首乐曲都题了《威尼斯船歌》。虽然都是一样的背景和相近的节奏，也都带着一种淡淡的忧郁，然而我们也听得出它们在情调与气氛上有所不同。对照而听之是大有意趣的。《纺织

---

1 *Ruy Blas*，现在通常译为《吕伊·布拉斯》。

歌》在全部无词歌中也是普受欢迎的一篇小曲，短短的，又是急板，一眨眼便完了。然而它意象鲜明，又颇有诗意，可评为逸品。对它的通行的诠释如题所示，一位姑娘在摇纺车，轻松愉快的心情、动作和纺车转动的意象融而为一，形成一幅清新明丽的画图。很有趣的是对它也可作另种演绎。有人把此曲改题为《蜂之婚礼》，而且改编为管弦小品。如果你接受这个演绎，把自己的想象调整一下，那么眼前就出现了另一卷"卡通片"，可爱的小蜜蜂们闹哄哄地飞舞成一团，喜气洋洋，还夹着蜂鸣和敲锣打鼓之声。这画面也令人信服，甚至比传统的纺织女的形象更可信可喜。两种标题两种意境，不妨任其并存。

《无词歌集》中每一篇都有一个诗一般的标题。其实除了少数的几首都是他人以意为之的。有的标题不大高明，有的连那音乐也不大高明，带着浪漫主义末流的沙龙小品情调。

但还有一首极有神韵的无词歌，其美几乎超过了以上这几首。它被恰当地题上了《五月轻风》这标题，提示了曲中意象。倾听此作，如坐煦风之中，那轻轻吹拂过叶底枝头的风似乎挟着醉人的暖意，对中国人来说，颇可联想到一联晚唐诗人杜荀鹤的名句："风暖鸟声碎，日高花影重。"

海菲茨曾改编它为提琴小品，当然也很美。但只听改编之作不听原曲也是可惜。因其写得十分钢琴化，由钢琴来吟唱这篇小诗是更为余韵悠然的。

再谈肖邦

肖邦全集几大本，其中可读之作太多了。可以说正像莫扎特、舒伯特的音乐一样，肖邦之作几乎无一篇不值得一听的。但也确有我们凡人听不大懂的。比方他的钢琴奏鸣曲就是如此。跟前人所作相比，他写的奏鸣曲大异其趣，也比他的其他作品来得艰深费解——当然其中也有易解的乐章如那篇《葬礼进行曲》。

更可注意的是，他的《马祖卡舞曲》也是表面上似乎简单而其真味并不易体会。这是他将故乡的乡音加以提炼而成的音乐，最富于波兰民族色彩也有他自己的个性。不是波兰人，一般是难以弹奏出那原味的。

二十四篇合为一集的《前奏曲集》，除了前文中已提到的《雨点》和《d 小调前奏曲》以外，也都是曲短而意长之作。困难也在于并不容易听出其蕴含着的深意。有的短得只有一点点，然而余韵深长，很像中国诗歌中小诗、小令中的绝唱。

全部二十一篇夜曲，曲趣无一毫雷同之外，篇篇可读。其中，《降 E 大调夜曲》不用说是广大爱好者的宠儿。自上世纪以来，凡有钢琴之处，不会听不到这篇夜曲的声音。自有留声机唱片以来，这一曲的改编版本之多在所有乐曲中也是创纪录的。此曲改成小提琴独奏，倒不及用大提琴的"男声"来唱更为深沉有味。但埃尔曼的改编与独奏却大不相同。当然，更能传其原韵的仍是钢琴。

　　夜曲集中第五首《升 F 大调夜曲》有一种特殊风味。其中的夜气与芳香不知何故叫人联想到波斯的夜，东方色彩的夜。第八首《降 D 大调夜曲》又是一境，那是恬静安宁的夜。第十首《降 A 大调夜曲》由于被采集到芭蕾音乐《仙女们》中而为人们耳熟。此作虽然花一般地美，却很少夜的感觉。

　　倘以为他的夜曲都必然是静的情调，那么第十九首《e 小调夜曲》便会出人意表。它从一开头便是一个心绪不宁的人在自语，激动的心与不平静的夜都从那和声与伴奏音型中呈现了出来。凡肖邦之作他自己是不加什么标题的。据说他也曾在一曲上写了"作于读《哈姆雷特》之后"，终于涂掉，说还是任听众自己去想吧，但是我们不妨认为他写的是像中国旧体诗中的"无题"，无题而实有题。不过那乐中的意象是微妙的，如梦如烟，不可坐实。简单庸俗地扣上了一个标题，或强作解人，反有可能破坏或者误导读者的想象。例如有人说肖邦夜曲中是有故事情节的，甚至说某曲是描写了威尼斯小舟中一幕情杀案。我们完全可以不理会这些附会之词。甚至不妨把肖邦作品当作纯音乐来听赏，反而可能不失其真味。

　　前已说过，肖邦的作品不易也不宜改编，正似有些诗歌之不可译，一译便板、便俗。上个世纪末，他的作品成了芭蕾音乐的材料。《仙女们》除了配舞蹈之外也常在音乐会中演奏。改编与配器者都并非庸才，有格拉祖诺夫等，连斯特拉文斯基也插手过。但这种改编了的肖邦总不免叫人不舒服，像是把国色天香打扮成了凡脂俗粉。《仙女们》中用了肖邦的圆舞曲。其实这一套圆舞曲集中的作品，除了个别的一两首，并不能算肖邦的上乘之作。有一些只不过是写给那些跟他学琴的名门闺秀们在沙龙里弹弹的。但是他的圆舞曲仍自有其高于凡品的气质，所以还是值得读的。全部十四篇圆舞曲中有几首特别美妙。第一首《降 E 大调圆舞曲》便是其中之一。它有着一种高华的气质，很有魅力。一般译为《华丽圆舞曲》，但徐迟译之为《晶丽圆舞曲》，更妙！

不可不知的是，肖邦的此类作品完全不适合用来作社交舞会之用，同约翰·施特劳斯他们的华尔兹是两码事。当然它也是舞蹈的意象，然而它是"意舞"，心灵之舞。或者如法国钢琴家柯脱 [1] 所比喻的，是"梦中起舞"。

此集中雅俗皆知的一首是所谓《小犬圆舞曲》。不知何人编出来的小故事使它惹人注意了。其实集中比它更值得听的很多。有篇《f 小调圆舞曲》（作品 70 之 2）好像很少有人注意，就值得郑重推荐。它比其他各首都朴素得多，感情是含蓄的，然而别有种意态，非注意多听不能发现其美。

人们都知道钢琴练习曲这种东西弹起来枯燥，听者也枯燥沉闷。圣-桑在其作品《动物狂欢节》里硬生生放进一个最高级的动物——"练习曲博士"，真可谓戏谑了，也正说明了

1　Alfred Cortot，现在通常译为柯尔托。

练习曲的讨人厌。但人们也知道，肖邦的练习曲是不同的，是艺术品，而且是很高质量的艺术品，同时它也有训练手指的实际价值。在他的二十七首练习曲中，可以选读的是《哀伤》（作品10之3），此曲改编曲极多，可知其流传之广了。可读的还有所谓《革命》。这个标题虽不是作者自己题的，但它与曲中意象倒是相当符合的。人们可以感受到革命的激流，也可以想象出起义者的大声疾呼。

肖邦写的《摇篮曲》是不可不听的美妙音乐。不妨拿它同其他人写的许多摇篮曲比较一番。肖邦这一首不但音调特别华美温存，而且以逐步展开的音乐描绘了一种入梦的甜美的赤子心态。

《谐谑曲》是他的力作，可惜不容易听懂。《军队波兰舞曲》《英雄波兰舞曲》并不费解，然而也许因为过度流行，显得不那么有吸引力了。

再谈柏辽兹

柏辽兹写的一些序曲都有一读的价值。《李尔王》序曲是从剧中获得灵感的，是一篇强有力也富于激情的音乐，柏辽兹写标乐和配器上的卓越才能都发挥了出来。曲中有一处他巧妙地运用弦乐的拨奏，理查德·施特劳斯对这一效果的注解是："这是李尔的脑子里有什么地方迸裂了！"不过我们也应该知道托维对这个作品的评说：假如要将《李尔王》序曲当成莎士比亚原剧的直译本一一进行对照，那就误会了作者的意图了。

前面已经提到了柏辽兹的《罗马狂欢节》序曲，它是歌剧《本韦努托·切利尼》第二幕的序曲。这篇序曲的吸引力之大反而遮了歌剧第一幕前的序曲，即《本韦努托·切利尼》序曲。其实这序曲气魄极大，音调深沉，是非常精彩之作。许多人只知《罗马狂欢节》而不知有这篇杰作，真是太可惜了！

同样是描写了意大利风光的《哈洛尔德游记》，人们不会不知道这部名曲的。其中也的确有一些令人为之神往的笔墨。那支贯穿全曲代表着主人公的中提琴主题，是绝妙的设计，听了就如同和那位贵公子在郁郁寡欢地漫游。不过对这部名气很大的作品，评价的高低也有争议。它是否如人们以为的那样，是拜伦原诗的一个乐译本呢？拜伦并没有写什么朝圣者进行曲（此为柏辽兹音乐中一章）。拜伦写了强盗，但事情并不发生在意大利。

柏辽兹嗜读莎剧，很喜欢从其中汲取创作的灵感。《罗密欧与朱丽叶交响曲》是他写的另一部交响曲，前一部《幻想交响曲》已经很不像传统的交响曲，这一部更有过之。它其实是器乐演奏同独唱、合唱组合而成的一部作品，形式介于交响乐与歌剧选段清唱之间。内容也并不完全依照莎剧原本。这部作品还有不少奇特之处。柏辽兹在演出中对音响效果进行了大胆的试验。但是这部庞杂而有点古怪的作品，流行面并不广，远不及他的《幻想交响曲》。人们每读莎剧原作，容易联想起的音乐只是柴科夫斯基的那篇序曲，只是普罗科菲耶夫的舞剧音乐，不大会想到柏辽兹这作品的，然而我们如果把这三种同以"罗朱悲剧"为题材的音乐来对照一番，看看它们虽同出一源，而其音乐意象互不雷同的情况，那是可以加深对音乐艺术的微妙感受的吧？

柏辽兹还有一篇管弦乐曲可听。它非常通俗而又一点也不俗。它是《匈牙利进行曲》，又名《拉科齐进行曲》。当年在布达佩斯演出此作时，正逢匈牙利人民革命情绪高涨之际。它的主题所采用的民族音调，加上配器的精彩处理，使它就像电流一般引燃了听众胸中的满腔怒火。当时在场的柏辽兹目睹听众的强烈反应，竟为之"毛发竖立"（这是他回忆录中的话）。今天听此曲的人不妨也联想这一历史情景，平平读过只觉得悦耳便未免可惜了。此曲中主旋律出自一位匈牙利民间小提琴手的创作，流传成为民歌般的音乐，李斯特也为之心痒，将它铺陈为钢琴曲，即其十九篇《匈牙利狂想曲》之一。曲趣与柏辽兹所作同中有异，为了对照也值得一听。

再谈李斯特

我们在前面谈"必读之曲"时对这位大师也有点不敬。没有他多少大作。无论如何，他的可读之作还是不少的。《匈牙利狂想曲》当然可听。但不必只注意那最流行的第二首，应该再听其他的几首，上文提到的拉科齐主题的一首便是一例。即使那人们最熟悉的《第二匈牙利狂想曲》，也可再听听改编的管弦乐曲，同钢琴曲相对照，可以听出改编曲虽然更热闹，有些地方还是不如钢琴原作有本色之妙。李斯特的确善于挖掘发挥钢琴这乐器的特性与潜力。有时他把它变成了一支乐队，有时则让它唱出了连人声也自惭不如的歌调。听他改编的威尔第的歌剧《弄臣》，歌剧中的人声、乐队都由一架钢琴担负了起来。听他改编的舒伯特的《魔王》，原来独唱部分和钢琴伴奏合而为一，并能再现原作的精神。听他根据帕格尼尼原作改编的《钟》，你又会觉得也许比小提琴上的效果更美妙。

他写的那些交响诗，雄心不小，下的功夫也不少，当时取得了相当强烈的演出效果，今天也都已列为经典了。当然是值得一读，却也不难发现其并不怎么耐读。例如标题为《玛捷帕》的一篇交响诗，当年萧伯纳曾指摘它浅薄可笑。我们如果不受成见影响，听了也会与萧伯纳有同感。

《但丁交响曲》和《浮士德交响曲》是他的两部重头作品，自然应该见识见识。其文学内容本来更是吸引人的，可惜我们未读之前的期待不免转化为失望。《但丁交响曲》在英伦演出，萧伯纳发表的评论极尽嬉笑怒骂之能事。这位幽默大师认为，此曲大可改题为《一场大火》，重新为之编写一篇文字说明。把原来描写地狱情景的内容另行解释为：快板—警报，火势蔓延，居民梦中惊起，争相逃避，消防队赶到—屋顶崩塌！至于原意是写弗朗切斯卡爱情悲剧的部分，可改标题为《女房东向救火队长的哀诉》云云。我们应该知道，萧伯纳并不是无聊的小报文人。他是因当时英国社会上有赶时髦瞎捧名人的风气，愤世嫉俗，有激而言，也许对李斯特的作品他不免贬低太甚，我们应该完全按照自己的感受形成自己的看法。

李斯特写了两部钢琴协奏曲。降 E 大调的一部是极为流行的。凡是喜欢辉煌华丽与温情脉脉的音乐的，不会放过这部所谓"三角铁协奏曲"。它也的确值得一读，尤其是慢乐章。可惜这部协奏曲也属于那种经不起一听再听，会暴露其肤浅的令人惋惜的音乐。

再谈柴科夫斯基

柴科夫斯基的作品除了前面已举出的，可读之作还不少，漏掉了是会遗憾的。

例如他的《第四交响曲》和《第五交响曲》，虽然不是通篇都耐读，但其中有绝妙的乐章，可以在浏览全曲的基础上选听。

《暴风雨》是从同名莎剧中获得感兴而作的交响诗。尽管作者自己并不满意它，它的感染力也的确不及《罗密欧与朱丽叶》序曲，但它仍不失为可爱之作，可以帮助我们神游莎剧中的世界。柴科夫斯基除了人们常听的六部交响曲之外，其实还写了一部《曼弗雷德交响曲》，这并不是一部无足轻重的作品。你可以不听他写的前三部交响曲（第一到第三），却不可不听这一部。它很长，但有吸引人读下去的魅力。因为作者爱上了取自拜伦名诗的这个题材，灌注了感情与心血。运用管弦乐刻画情景的手法也十分出色，听起来绝不会厌倦，也不会毫无所得。其中第二、三乐章写阿尔卑斯山景，写山中飞瀑、彩虹、田园风光，都历历如画，而这一切都是从主人公曼弗雷德眼底和心中映出，染上了他那苦闷的心理色彩。

对帕格尼尼怎么看

19世纪乐潮汹涌，才人辈出，出现了大量的作品，人们可以各从所好，尽情地涉猎。但必须心中有数，了解哪些是真正值得为之付出宝贵时间的，哪些是并不值得的，不要为虚名所惑。一个值得思索的例子是对帕格尼尼的作品怎么看。帕格尼尼是一颗光芒耀眼的彗星，他的出现在当时造成了轰动效应，也为后世留下了奇迹般的传说。他的演奏并不只是迷倒了千千万万的一般听众，许多音乐大人物如柏辽兹、舒曼、李斯特，甚至舒伯特都受了他的魅惑。帕格尼尼表演的节目都是他本人的创作。他既然能用这种音乐使包括大师们在内的听众迷醉，说明了他的作品必然不是凡俗之作。那么我们今天听他的作品是否也会像当年的听众那么如痴如醉神魂颠倒呢？奇怪的是并非如此。他留下了六部协奏曲（其中有一部的发表还是不远之前的事），今天是小提琴家们的保留节目。人们震于帕格尼尼的大名，也都一面想着关于其人的传奇故事，一面怀着敬畏加上好奇之心倾听。这些作品的演奏需要高难度的技巧，然而这在小提琴艺术高度发展的今天，凡是够资格的小提琴家并不难于对付。可惜的是神奇感与轰动效应不复再有了。说老实话，除了搞小提琴演奏专业的和对小提琴演奏技术有所了解的人会觉得它们有趣以外，一般听众的感觉也许不过如此而已。这其中包含着一项有趣的秘密。据学者研究，我们今日所闻的，已经不完全是帕格尼尼当年登场演奏的原本，而是比较简化了的本子。帕格尼尼从来不照什么写定了的谱子演奏。他总是用即兴风格的手法临场加工。他的魔力也正在于此。可见，我们听他的协奏曲时，期待当年所产生的神奇效应是必然要幻灭的。

　　像巴赫、贝多芬的钢琴曲一样，帕格尼尼的二十四首《随想曲》，也成了小提琴家们的一部宝典。他们对其中的艰深技巧非常感兴趣。作曲家和钢琴家们也乐于到这套作品中去汲取灵感，或是借题发挥自己的乐想，表现自己的技巧。舒曼和李斯特等都极其认真地把它们移植到键盘上。有趣的是，同一篇《随想曲》，舒曼和李斯特改编的手法有所不同。更有意思的是，同一篇《随想曲》，李斯特竟将其作了三种不同的处理。这些乐史中的美谈很能激发我们读乐的兴趣，更可以使我们体会到乐艺并非只供娱乐的小道，而是严肃的事。还有一件同这套《随想曲》有关的事，既有趣也很严肃。帕格尼尼此作也像巴赫的《小提琴独奏组曲》，并不用别的乐器伴奏（不同之处在于巴赫是复调的写法，而帕格尼尼的是主调音乐）。有人出于好心，给加上了钢琴伴奏，大约是为了演奏起来更热闹点。其实是多此一举，反而有损原作的风格。小提琴家西盖蒂在其回忆录中说起自己年轻时候也拉过这种有钢琴伴奏的随想曲，言下还不胜其忏悔之情呢。

帕格尼尼有一首《无穷动》，也是演奏家们喜欢拉的。此曲当然可以显示演奏者的功力，但对其艺术价值不必评价太高。实际上不了解练琴的辛苦和关于运弓技巧的人并不见得对它真感兴趣。当然"无穷动"即"永动不息"这个意象倒是有趣的，所以写这种曲子的很不少。例如美国作曲家诺瓦赛克[1]就因一篇《无穷动》而得以未被世人遗忘，其实他的作品相当多。韦伯也作过《无穷动》，则是钢琴曲。圆舞曲之王约翰·施特劳斯的《无穷动》却又是一首管弦乐曲，但我要郑重地提醒大家，这可是一篇有才气也有生气的作品，并非不足一顾的凡品。

罗西尼现象

再来说一个类似帕格尼尼现象的罗西尼现象。

罗西尼在 19 世纪也曾是一颗光芒四射的新星，其轰动全

1　此处似作者记忆错误，《无穷动》的作者应是匈牙利小提琴家、作曲家诺瓦契克。

欧的盛况不亚于上文说的那位小提琴怪杰。乐史上记载，当罗西尼的歌剧大卖座的那年头，就连贝多芬的音乐也受到冷落无人过问了。虽然罗西尼中年便退出了歌剧舞台，从此搁笔，他的歌剧仍然风行全欧，保持很高的票房价值。一直热到19世纪中叶之后，连他的歌剧序曲也是音乐会中重复无数遍不会厌的节目。萧伯纳埋怨说，过度的重演使他对罗西尼作品倒了胃口。有这种节目的音乐会，他便逃避不去了。可是真有趣，等到罗西尼热降温，被其他各种时髦作品取而代之的时侯，萧伯纳又怀念起它们了。他常常为了听罗西尼作品而去查看报上的音乐会广告。这说明罗西尼的音乐并不是一开即败的花儿，今天我们听他的作品也可以体验到萧伯纳的感受。

在其脍炙人口的序曲中，最有价值的应该数《塞维利亚的理发师》的序曲了。尽管有个说法是此曲本来另有别用，并非为此歌剧而作。但人们可以存而不论，无需拿序曲同歌剧中的情节来对号，哪怕当作纯音乐来听也是可以的。应该了解，用音乐写喜怒哀乐，有难有易。用音乐写幽默文章则是需要很高的天分才气的。大师里面能用音乐来莞尔而笑以至大笑的，有海顿；更可爱的是贝多芬，试听其《第二交响曲》中第三和第四章，《第八交响曲》的第二章，还有那部庞大的《迪亚贝利变奏曲》，你就可以看到他的笑容，听见他的笑声。罗西尼虽然没有那么深沉，却也是善于幽默的。这篇《塞维利亚的理发师》序曲便是幽默感丰富的音乐。它的魔力恐怕就在这里，旋律漂亮，节奏铿锵犹其余事。只要你不过度滥听。它还可作为听了沉重的作品之后的一种调剂。

所谓"罗西尼渐强"，是此公特别拿手的一种写法。此曲中自然也少不了。有些人爱把这渐强形容为"蒸汽压路机式的"，是很像也很妙的。罗西尼用这种办法炮制紧张的喜剧气氛，推向高潮，效果奇特。哪怕你已经听过了多遍，还是会不知不觉受其感染。

同这篇轻松愉快（但绝不俗）的作品不同的是《威廉·退尔》序曲。它是正剧风格，也是罗西尼最严肃之作。它的第一章写山中朝景，接着是山雨忽来，然后是田园风光，但恬静的气氛又被敌人入侵打破，最后便响彻了全民奋起抗敌的进行曲。这四个对比明显的乐章，起承转合，合为一部他的"交响曲"。他的序曲很多，听得多了不难听出他有一套程式，一种大体相近的腔调，然而都还不腻不俗，所以有其持久的生命力。

罗西尼以后的某些歌剧序曲能像他那样耐读的就不太多了。像《迷娘》序曲、《巴格达窃贼》序曲等作品，也不妨听一听，但它们不会像罗西尼的序曲那样听过以后还会令人想念。

拉威尔

可读之曲还应该补充拉威尔的作品。一般的是把他归在印象派里，也有人形容他比德彪西"更印象派"。但如我们细细听来，就会感到他同德彪西终究不一样。他的音乐里暗含着一种冷眼旁观的味道。即便是那些很强烈、热火的作品，例如最畅销的《波莱罗舞曲》，也总像是一个无动于衷的旁观者的写生。相反，德彪西正如诗人闻一多说的，"心里头有一团火"。拉威尔这人的创作态度极其矜贵，不到最后一笔修饰完毕，总是秘不示人。他又是个艺术上的美食家，在作品的每个细节上都精雕细刻，一笔不苟。有人把他的风格比作微型细笔画。又有人把他形容为一个瑞士钟表匠。

《波莱罗舞曲》是西班牙色彩的。初听几次，没有不被那音乐吸引的。它有一支极其漂亮的主题，用固执不变的舞蹈节拍翻来覆去地演奏。每重复一遍就换一种配器，也就换一种颜色和光彩。这不断的反复又是在一个漫长的渐强中进行的。由很轻很轻发展成最终的很强烈的喧闹。听了这支曲子，人们好像看见一队不知疲倦的人马，头上顶着炎炎赤日，在赤热的山地上自远方走来。

拉威尔还有其他名作:《达芙妮与克罗埃》组曲、《西班牙狂想曲》、《鹅妈妈组曲》等等，都是那么不落他人窠臼的才华焕发之作，听听也可以赏心悦耳。还有一篇小提琴曲《茨冈》像是为一个酒醉如狂的吉卜赛人描的速写，技巧不凡而效果奇特。听了会联想西班牙小提琴家萨拉萨蒂的《吉卜赛之歌》。在中国，曾流行过"流浪音乐"一名，那来源于丰子恺所译的日本人谈音乐欣赏的一本书。但拉威尔这一篇更显得新奇可喜。但是拉威尔的作品无论如何精彩，总不及德彪西的有余味可寻。德彪西的音乐往往能给人以深沉的触动，而非常悦耳的拉威尔作品极少能叫人深深感动的。

另外一种泛读法

以上关于"可读之曲"的议论，是按着乐史的脉络，围绕着一些作曲家来谈的。但是我们也可以采取另一些办法来扩大我们的视野。例如，分专题来读，就不失为一种饶有兴趣的泛读法。

比方说，深好标题音乐的人可以按乐中形象内容来分题而读之。如写海的、写月光的、写风雨的等等。可以把利用同一文学题材的音乐收罗在一起听，如写浮士德、写但丁神曲、写莎氏名剧、写古代神话民间传说的。同题异曲，异曲同工，可以注意听其异同，辨其高下，品味其不同风味，这大大有助提高鉴赏力，是值得一试的。

小步舞曲与圆舞曲

现在以几个专题为例来细说一下。大家知道，西方音乐中大量运用了古今各种舞蹈音乐。许多来自民间的舞曲形式已经进入了经典曲式成为不可少的组成部分了。奏鸣曲中常常有个小步舞曲形式的乐章之类便是一例。浏览各种舞曲，注意听其不同的节奏不同的风味，很有助于我们提高与丰富对音乐本质的感受。

要领会巴洛克音乐的内容与风格，离不开那些古舞曲。最多见的如《萨拉邦德舞曲》《恰空舞曲》。听听亨德尔和巴赫写的这种徐缓而庄重的古风舞曲，可以体验到一种深沉有力的律动。还有比较轻快的加沃特舞曲，在巴赫的音乐中极多，也是巴洛克音乐中广泛应用的舞曲。人们熟知的一篇加沃特舞曲是戈赛克写的小品。他却是古典派时期的人物。如今人们只把他的名字同这首小曲子联系在一起，殊不知这位比利时人曾以其规模宏大气势不凡的大型作品活跃于大革命时代的法兰西。

小步舞曲这种音乐由来已久，其大为盛行是在巴洛克后期的所谓洛可可时期。那是个喜好浮华的时代。所以当时流行的小步舞曲正像这种宫廷舞的服饰与舞态一样，文雅而柔弱。当它进入了海顿和莫扎特的交响曲，被改造成了清新健康的风格。莫扎特的交响曲、嬉游曲、小夜曲等乐曲中有许许多多小步舞曲乐章。我们无妨选而听之，就像剪一枝花来赏一样。他的这许多小步舞曲都各有其不同的意态。他最后写的三部交响曲中的小步舞曲，三篇是三种味道，很可以对照一下。降 E 大调的一曲是妩媚的，g 小调的一曲是刚劲的，C 大调那首极其华美。在他的所有小步舞曲中，最通俗的当然是一篇 D 大调的，原来属于一部慰安曲[1]中的一段，后来改编成了独立的提琴独奏曲，更是到处风行了。

到了贝多芬手里，小步舞曲的性格有很大的变化。在他早期之作中，例如一部受人喜爱的七重奏中，多少还保留着小步舞曲的一点固有风味。后来他写的小步舞曲乐章已经可以改题为谐谑曲了。在此要郑重推荐一首小步舞曲中的不朽之作，波切里尼的作品。他是海顿的同时代人，这位意大利的大提琴手也作曲，前后一共写出六十部弦乐三重奏和一百零二部四重奏，此外还有他最爱写作的五重奏一百二十五部！这么多的室内乐作品中今天还可以听到的很少了。许多人记得他的大名主要是因为他的四部大提琴协奏曲，但是使他在更广大的乐迷心中不朽的是这里要推荐的一篇小步舞曲。原先是一首弦乐五重奏中的一章。他写的那些五重奏，音乐极其流畅悦耳，还显出一种优雅的气质。这篇小步舞曲也是一样。它有各种各样的改编本。即使在钢琴上弹弹一种很简易的简化本，也是风韵依然，其味不减。当然最好还是听听原来的五重奏那版本，欣赏一下弦乐重奏的谐和，和原作中有特殊风味的织体。

到了近代作家手里，小步舞曲的味道又为之一变。比才写的小步舞曲是特别惹人怜爱的。《卡门》中有一首，《阿莱城姑娘》组曲中有两首。这三首都大不同于以往的古典风格，而

1　此处所说为莫扎特《D大调小步舞曲》，该曲原是《D大调第十七嬉游曲》的第三乐章。"慰安曲"一说有误。

且《阿莱城姑娘》组曲中的两首也是各不相似。有趣的是到了现代，波兰大钢琴家帕德雷夫斯基写了一首大受众人喜爱的《古风小步舞曲》，那又是带着一种怀旧之情在追慕旧时情调的小步舞曲了。

把以上提到的这许多小步舞曲音乐拿来一一欣赏，品尝其不同的风味，这不就像是参加一场听觉的盛宴吗！

我们也可以仿此而行，品尝一下各式各样风味的圆舞曲音乐。圆舞曲作品极多，品质高下不等，从高雅到凡俗都有。各种有价值的圆舞曲作品中又鲜明地流露出民族色彩和个人的风格。

一般人都喜欢施特劳斯这一家族的作品，可惜许多人不了解在他们之外还有别种风味的圆舞曲。肖邦的圆舞曲上文已介绍过了。他的作品当然是此类音乐中的上品。不过还有许多并不凡俗的圆舞曲是值得欣赏的。古诺的那一首是非常流行的，似乎无须再提了。可是这首被过度演奏因而丧失新鲜感的作品，我们仍然应该重新细听它几遍，品一品它和维也纳圆舞曲全然不同的风味。而且最好是听一听原作。它是《浮士德》歌剧中的音乐。在歌剧中，乐队演奏着我们熟悉的调子，同时还有人声合唱，曲调不一样，节奏也不一样，特别是那两种节奏的交错与协调，综合成了微妙的效果。人们听惯的只是乐队演奏的部分，虽然也不坏，可是简单化了。

柏辽兹《幻想交响曲》第二乐章《舞会》，当作一篇大圆舞曲来听也很有味。它和古诺那一曲都共同含有一种法国味。

柴科夫斯基作品中的圆舞曲就更好了，而又另是一种韵味。从他的交响曲到舞剧，从大曲到小品，他写的圆舞曲举不胜举。其中有不少是俄罗斯味加上他个人的气质，很值得品尝。例如《第五交响曲》与《弦乐小夜曲》中的圆舞曲乐章，芭蕾舞剧《天鹅湖》《睡美人》、歌剧《奥涅金》中的圆舞曲，等等。其情感之浓，品格之高，都是凡俗之乐无法相比的。虽然从这许许多多的圆舞曲中都可以一听便认出一个神情忧郁的老柴来，它们并不叫人感到老是一个腔调，令人厌倦。像《胡桃夹子》中的《花之圆舞曲》虽是一篇小品，但感情浓度相当高，又有特殊的韵致，不愧为圆舞曲音乐中的上品。

李斯特写了以魔鬼为题的《梅菲斯特圆舞曲》，听这作品并不轻松，需要用心思索。西贝柳斯写了篇相当流行的《忧伤圆舞曲》。反常调，阴郁之气袭人。写一个老年病妇奄奄一息之际恍惚见到死神踏着舞步来到。这原是西方绘画中的传统意象。拉威尔的圆舞曲也是一种听了不舒服的音乐，歇斯底里的气氛使人不禁有恐怖之感。而德彪西有一首《很慢很慢的圆舞曲》[1]却很美，很凄凉。说到这种把拍子放慢的圆舞曲，不能不联想到德利布的《慢圆舞曲》，那是绝美的音乐，原是舞剧《葛蓓莉亚》中的一节。他的舞剧音乐是柴科夫斯基自叹不如的。德利布的音乐不但是道地的法国味，并且散发着一种极优

---

[1] *La Plus Que Lente*，现在通常译为《甚慢板圆舞曲》。

雅的芳香。

谈不尽的圆舞曲音乐！但还要提醒人们留意一篇小品，波尔第尼的《木偶华尔兹》[1]。此人是个意大利人，写的沙龙小曲极多，却是乐史无名的小人物。此作原是钢琴曲，克莱斯勒把它改成了小提琴小品，更加添了几分魅力。它写出了小小木偶的惹人喜爱的舞态倒不足奇，奇的是又有生人气，有感情，一丝淡淡幽幽的伤感之情，仿佛是自伤其身世的不幸。人耶偶耶？真叫人觉得可爱可怜，也引出一番思索了。

很有意思的是还有一位大人物也作了一首《木偶华尔兹》，这位大师是肖斯塔科维奇。虽是一首儿童钢琴曲，情趣却不简单。波尔第尼把小木头人化为解事的大人，肖斯塔科维奇则是写的儿童心灵中的木头娃娃，又把它写活了。

圆舞曲音乐的天地如此多样多彩，那些只知道维也纳圆舞曲的听众不妨到这里面去透透新鲜空气。但我们对小约翰·施特劳斯的艺术仍然不能不惊叹。他写了那么多圆舞曲，在那个三拍子的定型的有限空间里，他却有本事幻化出如此多样的美妙曲调，保持着特定的维也纳舞会的格调，而又不觉其老一套，且始终不流于庸俗，这真是难能而可贵！像《春之声》这一曲，有着长青不谢的魅力。《蝙蝠》序曲可认为是圆舞曲之王的才气的最高表现。不但神采夺目，而且充满了生

---

1 *Waltzing Doll*，现在通常译为《洋娃娃的舞蹈》。

气。多听几遍这样的轻音乐，胜过在故作深刻的陈腐作品上浪费时间，可惜许多人似乎并没有注意这篇轻音乐中的上上之作。

小夜曲

再以同样的思路来巡礼一下小夜曲音乐。

莫扎特和贝多芬作品中有许多"小夜曲"，名目虽同，实则并非后来人们喜闻乐见的那个品种，它是大型的乐队作品。莫扎特的歌剧《唐璜》中有一处让剧中人配着曼陀铃唱的，才是调情献爱的小夜曲。近代的小夜曲音乐应从海顿写的一首说起。此作有各种改编本，广泛流传，极受人喜爱，是理所当然，因为它既有高雅的古典气息，又永远显得清新秀美。它原本是海顿的一部弦乐四重奏里的一章。第一小提琴歌唱着主旋律，其他弦乐器用拨弹轻声伴奏。奏到酣畅处，拨弹声也强了起来，令人心旷神怡！在海顿作品中它是最为轻妙的一曲。可惜在改为提琴独奏曲后，钢琴伴奏的音乐不足以传达原来弦乐拨弹的妙味，稍嫌板实了。也有人把弦乐四重奏放大为一支弦乐队来奏它。那又未免声势过大，不及原来的轻灵了。

舒伯特的艺术歌曲《小夜曲》，谁人不知！原来是人声独唱，改成小提琴独奏曲也很妥当。不过要由一位大师用真挚之情来演奏才相称（有埃尔曼的唱片，最可赏）。舒伯特的音乐可以丢开歌词成为无词歌。李斯特把舒伯特的许多歌曲改编成钢琴曲，《小夜曲》也是其一。效果远胜一般的改编本。

理查德·施特劳斯写了一首漂亮的小夜曲，气度高雅，可惜不大流行。柴科夫斯基的《忧郁的小夜曲》是一首不太短的小提琴曲，曲趣忧郁寡欢，同一般小夜曲的情调正相反。

在格调比较轻软的作品中，唱遍全球的是托赛里的那一首。能写出如此甘醇的曲调，他不愧是一个意大利人。他并不古，一直活到 1926 年才去世，只活了四十三岁！他原是个技巧不错的钢琴演奏者，忽然同一个奥国大公爵家的贵妇人喜结良缘，从此荒疏了钢琴练习。这首小夜曲无论改编成何种器乐曲，效果都是不坏的。但他的意大利同胞托斯蒂写的小夜曲却只适于歌唱，改成器乐便不那么动人了。

法国人比尔耐的小夜曲，曲调与伴奏都甜美优雅可喜，它是法国味的。

古诺用大诗人雨果的诗谱写的小夜曲也是法国味，而且是艺术歌曲的水平了。听这篇小歌，有一种手抚天鹅绒般的感觉，非常舒服。此作改编为器乐小合奏或独奏都仍然很有魅力。德里戈的小夜曲，德尔德拉的小夜曲，都传遍天下，经受时间与听众的考验，成了小夜曲文献中的经典。

还有一首高品质的小夜曲，似乎未能引起小夜曲爱好者的重视，而那是极可惜的。它是俄国人阿伦斯基的作品，一首小提琴小品。其感情之恳切真挚，风格之淳朴，加上音乐语言的俄罗斯味，都使它有持久的魅力，听了就似乎读旧俄作家的短篇小说。像这样的音乐，不能只用耳朵来听，而且要用你的心去感受。

海洋、风雨之类

如果以海为专题，那也有许多作品可以对照比较。除了前文提过的《芬格尔山洞》《辛巴达航海》与德彪西的《大海》，还有瓦格纳的《漂泊的荷兰人》序曲，它也可以当一篇描写怒海行舟的音画来读。格里格的《培尔·金特》配乐中有一段短短的音乐，写了一场海上风涛的情景，虽短却精练生动，这段音乐收进了《培尔·金特》第二组曲。

同柴科夫斯基并世齐名的安东·鲁宾斯坦写过一部《大洋交响曲》，当时萧伯纳的评论把这部作品大大地嘲讽了一顿。现在看来，鲁宾斯坦虽然演奏钢琴的技巧可以上追钢琴大王李斯特，作曲的才能却平平。《大洋交响曲》今天已少有人问津了。

暴风雨这种题材历来写的人极多，因而也越来越难写，难写是因为写不出新意，难免落套。我们把这种音乐中的名作集中起来听听也很有意思。贝多芬《田园交响曲》中写雷雨的音乐，人们最熟悉，当然可称经典。它并不追求逼真的效果，但是有一种雷霆万钧的气势。罗西尼的《威廉·退尔》序曲中也有雷雨的描写。写法和贝多芬的不一样。气氛相当真切，笔法简洁明快。贝多芬和罗西尼都写了雷雨骤来与雨过天晴的情景，也是互不雷同，各极其妙。这些细节都是很值得用心听取的。

美国作曲家格罗非的《大峡谷》是一部通俗名作。其中的"山间风雨"一章有他自己的写法，并无落套之嫌。听起来有真实感，也不俗。可惜有些人还嫌它不真，硬要把真的雷声录了音放进去，以追求逼真效果，这就反而庸俗了。同样是写山中风雨，理查德·施特劳斯在《阿尔卑斯山交响曲》里的写法又有新意。他营造了一种雷轰电闪、山鸣谷应的壮观景象，气魄之大，笔力之劲，显然在《大峡谷》之上。

可听之作听之不尽

　　如果认为"必读之作"的数量毕竟要有限制，不能过分膨胀的话，那么反过来说"可读之作"的数量可以说是没有范围的。当然每个人都可以各从所好，也总是各有所好与有所不好。时光有限，也不能让你读尽古往今来的好音乐，但是可读的有价值的作品实在太多，不听实在可惜。这里只得抱着深深的遗憾，再来略提一下前文中没有可能谈到的作品。

　　德沃夏克的前辈，捷克民族乐派的先驱者斯美塔那，他的《伏尔塔瓦河》当然值得一读。这篇交响诗的标题性很强，可以说是明白如"画"，一听就懂。在刻画景色上也有令人爱赏的精彩之处。他还有一篇歌剧序曲，《被出卖的新嫁娘》序曲，极有特色。它有一种锋利泼辣的风格，流畅爽利，非常痛快。从前有位评家形容这音乐里面像有一大群耗子满地乱窜。他这种古怪的联想反而贬损了它，其实这是很漂亮的音乐。

　　小提琴协奏曲这类作品，最讨人喜欢，也很容易听得太滥。不客气地说，乐迷很容易因为贪吃这种"甜食"而浪费了时间损害了胃口，也留不下多少好的回味。可以反复倾听不倦的小提琴协奏曲少而又少，但不妨稍作浏览之作却是相当的多。除了前文中已提及的，还有可听的如圣-桑的第三首协奏曲，是颇为流行的。还有拉罗的《西班牙交响曲》。它用了这个浮夸的曲题，实际上是一首协奏曲，交响性也并不强。但是喜欢西班牙风味、爱好华丽且多情善感的曲调的听者，对这部作品是会大感兴趣的。维尼亚夫斯基的协奏曲也很对那些旋律爱美者的口味。这位波兰小提琴大师还写了一些很受人喜爱的小品，如《传奇》《莫斯科的回忆》，还有初听华美动人的《D大调波兰舞曲》。可惜后面这一首也是不宜听得太多的，否则就会厌倦了。

19世纪以来，许多小提琴协奏曲渐渐被人淡忘，而当年曾是名重一时。其中有若干作品今天还是值得一赏的。例如格拉祖诺夫的《a小调小提琴协奏曲》。还有一部比它更值得听的是德沃夏克的小提琴协奏曲，也是a小调。同他的代表作相比，它算不上是顶好的音乐，然而不浅不俗，装满了好听但也许太多的曲调。

西贝柳斯的小提琴协奏曲至今仍是烜赫之作，是提琴家们的重大曲目，在比赛中也是与赛者的演奏功力的试金石。民族色彩、个人风格都是突出的。不仅可读，也经得起多读。

英国人戴留斯和埃尔加的小提琴协奏曲，都很不平庸，可惜费解。假如有时间，也许值得对其作一番心灵的探险。

在比较贫乏的大提琴协奏曲中，可听的有舒曼、圣－桑、拉罗与埃尔加的作品，还有柴科夫斯基的《洛可可主题变奏曲》，像一篇小协奏曲，也可读。

戴留斯的小提琴协奏曲虽然不大好懂，他另外的一些管弦乐曲却值得郑重推荐。他的乐风与众不同，自成一家，大体上是英国风味，英国的音乐文化长期深陷在德奥学派的影响中难以自立，英国人也安于这一状态，先是只知崇拜亨德尔，后来又拜倒在门德尔松面前，直到出了埃尔加、沃恩·威廉斯和布里顿等大师，才忽放异彩，人们才听到了英国味的音乐。戴留斯的出现也是对英国气派的一大贡献，而且他更有个性。听其作，好像看英国水彩画，同时又觉得其中含着极耐寻味的细腻感情。这是务必不可放过的好音乐！他的代表作如《春日初闻杜鹃啼》《夏日园中》《翻山远去》，还有他根据自己在美国佛罗里达的少年游的印象写的一部《佛罗里达组曲》，美妙绝伦，过耳难忘。曲中浸透着青春的欢乐，却又满含着无比的惆怅。

可听的大曲固然来不及听，可赏的小品就更像夏夜繁星一般难以一一列举了。提琴小品数量最多，那是从 19 世纪末叶兴起的一种热。小提琴家在独奏会中大奏其小品，以投听众之所好，自从有了留声机唱片，小品更热了。随手举一些聊供参考。

　　克莱斯勒的《中国花鼓》，并非道地中国味，中国人一听便知道，可是即便如此，它仍然是美妙可喜的音乐，它那魅力是持久不衰的。

　　《泰伊斯的沉思》，是从马斯奈的歌剧《泰伊斯》中摘取来的，也是克莱斯勒改编的。恐怕天底下绝不会有一个乐迷不爱此曲。《沉思》不仅旋律奇美，有深情，而且有绝非简单的背景耐人联想。凡读过文豪法郎士文学名著《泰伊斯》的人，了解了那里面的浪漫而又现实的情节与人物，可以在倾听此作时获得更丰富的感受。在马斯奈的歌剧中，这段音乐是第二幕中第一场和第二场之间的间奏曲，由小提琴独奏，竖琴和乐队协奏，并加入了合唱团的伴唱。后来这段音乐被分离出来单独流行了。

　　顺便提一下，《沉思》这一曲，埃尔曼的演奏录音也许是最最值得认真细玩的。其次是克莱斯勒的录音，不过他的录音有三种，品质并不一样。

　　据说在根据吉卜林的小说拍的一部电影里，此曲成了大象的配乐。这却有损于倾听时的联想。用名曲配影视，作孽多矣！

第二辑

学会倾听

做哪一种听众

××君：

你说自己虽然杂七杂八"浏览"过一些"名曲"，可是不满足，还想深入其境，决心更加用心地听听西方严肃音乐。我当然为你高兴。如今爱好严肃音乐的人越来越多，可惜往往浅尝辄止，不去深入宝山，未免辜负了自己的耳朵。

但你要我谈"怎样学会倾听音乐"，是出了一道难题。中外赏析家写的此类书汗牛充栋，又何用个门外读乐的"素人"来多嘴！不过我辈都是普通听众，都是音乐信息的接收者，会有共同语言。平等地交换这方面的体验，可以比"上课"少一些被动，多一些共鸣。

在理解音乐这件事上，我们自然不如专业音乐工作者。然而我们也自有其优越之处。那就是我们以听众的身份享有无拘束无负担的自由。我们可以完全不带什么功利的目的或义务去听赏音乐。黑格尔在他的大著《美学》中热烈赞赏一位普通劳动者的吉他弹奏，说比演奏家的表演更使他心醉神迷。除了某些专门写给音乐家甚至只给自己听的音乐以外，绝大部分作品都是作曲者为同广大听众交流而作，所以我们也完全可以参加这种交流，共享乐艺之美。

这就要求我们去严肃地倾听。"识曲听其真"，要得其真，我们读曲者同样也要出之以真心，动真情。

科普兰在《怎样欣赏音乐》中叹惜当代西方人由于音乐来得太容易（唱片、广播……）反而不会倾听音乐了。这对于今天耳福大好的听众来说，也是值得扪心自问的：你真正用心倾听了没有？这又引出一个更值得思索的问题：你愿做哪一种听众？

学者阿道尔诺研究了八种类型的听众，其他人又主张划分五种听众（见索哈尔《音乐社会学》中译本第一百二十五页）。我想，你当然不屑做一个其中的"消避的听众"或"娱乐的听众——生活中的享乐主义者"。那么，让我们互勉，做一个"动感情的听众"吧。当然，按科普兰的说法，理想的听众是同时既能进入音乐又能超脱音乐的。这就太高了！我们可以作为理想境界来追求。

有决心做一个真心的、动感情的听众，你才能自觉养成严肃倾听的习惯。假使某个时候你实在收不拢心而心猿意马，不如立刻把录音机关掉为妙。只有能像一个演员那样驾驭自己的注意力，你才有可能进入角色。

当你已初步熟悉了贝多芬以后，可以顺乐史之流而下，去认识群星灿烂的浪漫派了。但也不妨溯流而上，先去叩莫扎特之门。一开始很可能会觉得他比贝多芬简单，平淡无奇，引不起多大兴趣。其实正是这种貌似简单平淡，又无文学标题帮忙的音乐，要真知其中之味反而更难。也说不定要等到听过大量音乐的多年以后，你才能识其天真自然之美。而一旦有所发现，从此必然迷上它，反而觉得别人的作品总有矫揉造作的成分，不够味了。

假如听过的曲目中已包括了莫扎特和贝多芬的重要作品，这便打下了一个坚实的基础了。从此出发去听标题音乐、民族乐派、后浪漫派的作品，都不会太陌生。因为他两人是总结又是新的开头，后来的人同他们是一脉相承的。在这一传统的对比下，印象派会使你耳目一新。在饱餍了浪漫派、晚期浪漫派的肥甘之后，越过两个世纪的时空去听巴洛克音乐，虽然它是乐海的一个源头，但那种已化为历史的音乐语言、风格，是很好的清醒剂。

从反复对比中获得体验，我们就会觉得自己的倾听能力有所提高，似乎可以用比较自主的音乐思维去感受了。

具体的作品留待以后讨论"怎样听"的问题时再谈，这封信就算一个开场白。

科普兰强调得极是，千言万语也不能代替倾听音乐本身。我所能做的无非是以自己倾听之一得，敦促、协助你去倾听而已。

博览与精读

××君：

　　读乐和读书有相通之处。读书，要博览与精读相结合。读乐，也是这样。有些个人体验也许可供参考。博览泛读，可以开拓眼界，有比较，可以形成对不同风格的概念和乐史的概念，等等；这一点我们且留待以后再谈。精读一事我认为尤其重要。曾见有的朋友虽有爱乐之心，却总是浮光掠影地把好音乐当耳边风。一边看书、写文章（乃至吃饭聊天），一边放唱片。我认为，把音乐变成日常生活的伴奏、配乐，在有些情况下未尝不可。有人主张在阅读文学作品时可配以适合的音乐。比方读普鲁斯特的《追忆似水年华》这部同音乐关系很深的小说，最适合阅读那气氛的，据说是德彪西的音乐。做家务之际放一些轻而不俗的音乐（如苏佩或莱哈之作）也不算辱没了它们。但如收音机里响起了《蝙蝠》序曲这样的才气横溢的作品，你就应该暂时放下别的，好好享受一下那音乐了。总之，假如有心深入乐境，求其真趣，就必须摒除杂念、干扰，专心一意地倾听。对于一些最重要的典范之作，更非多读、精读不可。

读乐不同于读书之处在于音乐是流动不息的，是在流动中展进、完成的。我们读书可以掩卷思索，或回到头上去，或跳到后面去。读乐自然也可以从头再来一遍，但你最好每听一遍就听全它，力求追随那乐流，走一个完整的历程。

乐艺之妙正在于它如源头活水，在时间的流动中展开。你听一首乐曲，首先自然要跟踪主题、辨明曲式等等，从那一大片音响的乱麻中理出个头绪来。但你倘若迟迟感受不出那音乐中的动力，那音乐对于你仍然是死的、冷的。等到你在反复倾听中感受到乐流不但自在地流，而且有一股力卷着你，心不由己地向前，这说明那作品是有力量的，那演奏是有生气的，而你也已进入乐中之境了。

诗人徐志摩既爱乐又懂得如何赏乐。他在大学讲坛上教授的是文学，却常常劝学生上兰心戏院去听工部局交响乐队的演奏。他告诉大家："要学会综合地听。"我想他也是说要注意从总体上去感受一部作品。

如何在综观全局中又注视细节，这个问题也需要留意。有的朋友不大耐烦熟读，更不注意精读。当然我们是业余乐迷。熟读，并不是要像演奏家那样为了背奏，而是说对于你最心爱的作品要熟悉得听了上文便知下文，做好了迎接它的心理准备，这样才可能出现卢那察尔斯基说的那种水到渠成的境界。

至于精读，我们没条件向专业乐人看齐。但走马看花地听，把作曲家呕心沥血谱成的作品平平淡淡地听，也就得不到更大的享受。

回顾自己对一部作品的听赏过程，我觉得，往往是其中的有些细节首先打动了自己。是那些最有特色或最能唤起共鸣的部分推动自己听下去。这就像是一首好诗中的警句起的作用。记得当年初识《天方夜谭》组曲，有一处，一下子把我抓住了。是《辛巴达航海》那一章里，由黑管、小提琴泛音加上低音弦乐拨奏的一段。波浪滔天的喧闹场面过去之后，忽然换了这个镜头，清新之极！我顿时想到故事中的辛巴达在大船停泊后划着小船上岛的画面。那拨奏的效果简直像拨在自己的神经上似的！从此便喜欢这部作品了。后来虽然终于听出此类音乐不免肤浅，这个细节的形象始终保存在记忆之中。

此类例子举不胜举，你也可以举出许多你宠爱的警句吧？我们在欣赏中大可利用它们的魅力以加深细读全曲的兴趣，可谓"引人入胜"。但要记住的是，细节只有在上下文的连接、对照、展开中才显得更美、更有说服力，我们不该只留心细节而疏忽了通篇文章，不能只顾寻章摘句。从前听到过一张老唱片叫《柴科夫斯基拔萃》，把他的一些最出名的主题串在一起，好让人一口气听个痛快。据说后来还有"读者文摘"式的"贝多芬精华"唱片，用意是让忙人（也许是懒汉）突击欣赏贝多芬的九大交响曲。料想你不会对此有多大兴趣，正像你不会去读简化的文学名著吧？

并非所有精彩细节都是一听就打动人。尤其那些躲藏在内声部、低音声部的乐句。也有些细节属于和声效果、配器色彩、演奏技巧等等。举个例子：《自新大陆交响曲》第二乐章一开头那七个和弦，假如你只当它是为英国管主题作铺垫或起个"静场"作用，闲闲读过，那就太可惜了！诗人徐迟在其谈乐文章中将这一组和弦称为"神秘和弦"，其实听熟了只觉得极为顺理成章。

复杂的交响音乐固然有听之不尽的美妙细节，听貌似简单的独奏、重奏乐曲，又何尝可掉以轻心。不像李斯特刻意把钢琴变成管弦乐队，肖邦则是把它更钢琴化了，他为钢琴而吟的"音诗"中充满了魅力非凡的细节。例如有些华彩性经过句，像幽兰香气似的不可捉摸。有人讲，像这种地方奏得太轮廓分明反而有伤其美，正是要"惊鸿一瞥"似的才更诱人。

乐中细节之美有的又和演奏家的独特处理分不开。埃尔曼拉《梦幻》，重复第一段时用弱奏（像是琴弓很靠近指板），力度与音色的变换极能传情，一种追怀伤逝之情。虽然是多少年前的快转粗纹唱片，那音响至今在我心里"高保真"！

忍不住再添个例子：埃尔曼在此曲第一句后半句处理上的抑扬起伏，似乎特别动了感情。听了觉得那琴弓就在自己心弦上擦过了！可见，福楼拜在《包法利夫人》中对女主人公看歌剧的那一段描写是何等地写实!

老托尔斯泰说过，艺术的微妙有时在分寸毫厘之间。帕斯捷尔纳克说:"人不是活几年几月几天，而是活几个瞬间。"这些话也可以启示我们读乐，在通解全篇之中切莫放松对精彩细节的注视。既要努力感受那流动着的整体中的力，也要捕捉那些无比美妙的"音乐的瞬间"。绵绵不绝的乐流主要以其逻辑力量吸引、说服我们，其中更能引发我们与之共振的又常常是这些稍纵即逝的瞬间。

说这些是期望你细嚼慢咽，把通读和细玩统一起来。可惜，"爱美者"(amateur)的身份限制了我们去多抠音乐的"语法修辞"。不过如能涉猎一些也大有益，至少得学点普通乐理，最好是粗知总谱读法。但又有一说，萧伯纳嘲笑过只抠"语法修辞"的枯燥无味的赏析法，说就像谈《哈姆雷特》只从词义、语法上去解剖一样令人索然。

还要提醒一声，无目的、无动于衷地反复放一张唱片，最容易倒胃口。严肃音乐之所以为严肃，正因其可赏而不可亵。这里面还有个保鲜防蒌的问题。门德尔松的那部《e小调小提琴协奏曲》是一个好例子。此曲神采飞扬，洋溢着青春气息，中人欲醉!然而，有一本《小提琴史话》的作者慨叹:"让我重生一次，再尝一遍初听的新鲜，那有多好!"指挥家布鲁诺·瓦尔特说了同样的话:"为了使我像第一次听某部杰作时那样再听一次那部作品，我宁可付出一切!"弦外之音还要注解吗！所以当人们听吴祖强谈他们评委们在一次国际比赛中，一晚上连听此曲九遍时，不难想象那滋味了！

　　演奏家常恐破坏自己的新鲜感，我们听众也要珍惜听乐的新鲜感，不要滥用唱片的可重复性。伟大深刻之作如巴赫、莫扎特、贝多芬的最好作品，需要也经得起反复听，前提是要精神高度集中，诚心探求。乐史上有一件事很有意思：彪洛一心弘扬贝多芬的《第九》，竟在某次音乐会上连奏了两遍。魏因加特纳对此不以为然，因为，听《第九》要付出的精神代价（！）对于一般的听众太沉重。

　　即使你已经对一部作品熟稔得像个老朋友了，还是大可以从新的不同角度来听而获得新感受的，那便像苏东坡咏庐山的"横看成岭侧成峰"了。"凝固的音乐"——建筑艺术需要从不同侧面欣赏。"流动的建筑"更需要这样。

　　门德尔松有一曲《芬格尔山洞》，从前初听便一见倾心，几十年来听得烂熟于胸，仍然兴味不减，它是一朵不会萎的奇花！早先我把它当作一幅气韵生动的"山水画"观赏，只觉得其中不少形象细节同自己的想象不谋而合；后来从它的乐想是如何生动自然地展开这一角度听，从中获得了新的，也是纯乐性的满足；然后再进一步，从这二者的综合上去欣赏，从中体会标题乐与纯音乐二者的长短得失，也感受到门德尔松驾驭二者综合二者的乐艺之高明，既发挥了造型效果，又不失其音乐固有的形式美。而要获得这种种享受，就靠反复精读，同时也因为自己在生活中对海气山岚有了观察与体验，对音乐的形式美也不像过去的无知。

至于像"贝九"这样的作品，可说是像《红楼梦》那样永远耐读。只要诚心读，必然开卷有得，让你有"新思维"、新感慨。但我又极其珍爱当年头一回接触它时的那个印象，那是托斯卡尼尼指挥的录音广播。那真是一种令人灵魂战栗的震动！我极愿更多地反复精读它。但我决不轻易就听，纵然不必像古人焚香端正而听七弦琴，也要找个没有杂务、俗客干扰的时候，摒除杂念，从容地听，期待着能够听出以前还没有听出味儿的地方，使自己的感受再有所深化。而每次一个小时的倾听，也真像一次不寻常的人生经历。那也并不限于个人的，而是可以引你对历史、社会作一番沉思的。

读乐之乐乐无穷！然而那乐是要用多读、精读的辛苦去换来的，但当你在倾听中达到"为乐所有"（朱自清语）的忘我之境的时候，你的时间、辛苦并没有白费！

借助形象以思维

××君：

上一封信我们笔谈的话题是"听什么"，接下去谈"怎样听"。

既然人们喜欢把音乐大致区分为标题音乐与纯音乐两大类，那么，也不妨说音乐的听法有两种，形象的与非形象的。

自从爱上了音乐，自己便靠了前一种听法，渐入音乐"形象"世界，获得了莫大乐趣。从贝多芬的《田园》中欣赏"溪边景色"时，常想到司空图的名句："碧桃满树，风日水滨，柳荫路曲，流莺比邻。"从里姆斯基–科萨科夫的《天方夜谭》里看辛巴达的航海、公主的轻歌曼舞、王子的怒海沉舟。从格里格的《朝景》里，我不止看到海滨曙色，甚至像是真的沐浴于新鲜的晨风中，心神俱爽！

乐中不但有自然风光，而且有人、有戏。我听乐获得的印象中，最难忘的例子之一有威尔第《茶花女前奏曲》中维奥莱塔的"形象"。并未像青年托尔斯泰那样从过军的老柴，却工于描绘武打与战争。听他的《罗密欧与朱丽叶》序曲，总觉其中的刀光剑影很真。《一八一二年序曲》里面两军决战的场面，我也认为不比《战争与和平》中的描叙逊色，两者可以相互印证。听到那个最有激情的主题，我总像认出了小说中那几个只恨不能为沙皇捐躯的人物……

算了，乐中诗、乐中画、乐中剧，一言难尽！我怀着"奇文共欣赏"的心愿，敢向一切有心却无缘领略此种"乐趣"的朋友保证：听音乐，的确能得到这种"形象"的享受。一种听觉、"视觉"和其他可以"通感"的各种感受的盛宴！要相信，既然诗中可以有"画"，画也可以绘影绘声，则音乐也确能以声写形。

不仅此也，借此机会鼓吹一下，乐中之相，还可以达到更为气韵生动的境界，使诗、画相"形"见绌。

要欣赏海景，可读木华《海赋》之类的文章，可看《九级浪》之类的画，但何如听门德尔松的《芬格尔山洞》？诗与画中尽多写到风，然而要"捕风捉影"还是音乐更行。《辛巴达航海》中有破万里浪的长风；《里米尼的弗朗切斯卡》中有地狱里的阴风，听得人浑身冰冷；门德尔松的无词歌，《五月轻风》，每一听到，都会忆起晚唐杜荀鹤的名句"风暖鸟声碎，日高花影重"，而乐中似乎更多一丝暖意；因此又想，李义山的"尽日灵风不满旗"，假使用音乐语言，可能更容易传真吧？

此外还有那种种诗、文、画、塑难状之景物，在高明的"音诗人""音画家"笔下，往往可以刻画得更传神。这除了音乐"形象"以其能"动"，赛过了造型艺术之"静"以外，是否还有一个缘故，即这种流动着的音乐语言同时可以作多面、多层的表现。这也正是音乐文化发展到多声部进行以后产生的功能了。这种可以"织锦"，可以构造"流动的建筑"的手段，自然要比平面的静止的线条、色彩更适宜于特殊的"造型"了。西方画师利用透视以仿自然中的立体，中国画师利用长卷构图以仿自然的动势，求得于空间中表达时向。而音乐，却能够更巧妙地化静为动，变平面为立体，从时间的流动中幻化出空间。

何以证之？一个大家比较熟知的例子可以举《弄臣》中的四重唱。四个剧中人在同一场景中各诉各人的衷肠，而又组合成一段规定的戏剧情景。要是文学作品，只好"花开两朵各表一枝"，在戏剧舞台上也不能七嘴八舌地长篇大论吧？又如瓦格纳的《纽伦堡的名歌手》前奏曲中的高潮部分，写保守、新兴等不同人物的几个主题同时并举，表现出错综复杂的复调效果。舒伯特用歌德的诗谱成的《纺车旁的格雷岑》[1]，我们可以从歌唱与伴奏两者之中分别感受到不同但相辅相成的"形象"，比原诗更丰富了。有个难得听到却是常被提起的乐例值

1　*Gretchen am Spinnrade*，现在通常译为《纺车旁的玛格丽特》。

得一引。格鲁克的歌剧《伊菲姬尼在陶里德》中，心里有鬼的奥雷斯特斯唱着"安宁回到我心里了"，管弦乐队中以中提琴为主的音乐却唱着反调，郁闷而紧张，揭露了这个弒母者的心虚。格鲁克说："他是个说谎的人，中提琴不说谎。"

可能你要打断我对音乐形象化的赞美，埋怨道："无奈我难以'对号入座'，怎么办？"恐怕首先要理解，所谓的音乐"形象"和那诉之于视觉的形象并不能划等号。它们相通，而又不相间。音乐"形象"既是确有其"相"，不假，也非抽象之"相"，不玄虚；但又并非那么可以勾画得轮廓分明的。它常常只是一种"心影"，是一种可以拨响你的共鸣弦，唤起回忆、联想，从而"造型"的微妙的作用。

试想，舞蹈中当然有看得见摸得着的形象了。邓肯将好多音乐名作译为舞蹈，既是以舞释乐，也创出了乐、舞综合的"形象"吧？但即使是她的创造与解释也引起了里姆斯基-科萨科夫的异议哩。（他说："假如我听说邓肯女士用舞蹈或模拟动作来解释我的作品……那我该多么伤心！"）

总之，大可不必硬要目不能见的声音制作出看得见的画来。但你完全可以运用"心眼"去观赏乐中"形象"。诗人海涅说什么"我具有特殊的音乐视力。听见任何声音，同时便见相应的形象"。虽是夸张，却并非欺人之谈。

万一你硬是无法听出什么来，也不必丧气。1927年，举世纪念贝多芬逝去百年之际，有一位博学多知，又并不教条、八股的理论家卢那察尔斯基，向着一大群年轻人——他们对贝多芬陌生得很，却很想认识他的交响曲——讲了一番话："你们当中不习惯听音乐的人，体会不到常听音乐的人所体会到的一切。要想领悟如此丰富和包含各种因素在内的音响……需要有丰富的经验。"这话很实在！这也正像科普兰在《怎样欣赏音乐》中的忠言。最基本的一条就是多去倾听。

同时也不妨反躬自问，是否你心里可资联想的那个"形象库"还欠丰富？或是自己还不善于运用它？这种"资料"有两个来源。还是以《田园》为例，我听它听得有味，正因为它勾起自己河边游钓的"童年情景"，也补充进多年旅途中所见的景色。一生中度过多少个春夏秋冬，积累下种种感受，一旦听到《春之歌》《雪橇》《秋》和热气腾腾的《西班牙随想曲》，那储存着的许多体验忽然间便"反刍"了！

人生的直接体验有限，因而也更加珍贵；所幸间接体验的天地是广大的。当我听老柴的《罗密欧与朱丽叶》序曲和瓦格纳的《浮士德》序曲大为感动时，自己很清楚，这要归因于文学原著的感染。为我听《里米尼的弗朗切斯卡》作铺垫的，不但有但丁的原诗，还有德拉克洛瓦的画《但丁的小舟》。

如果我没有读史癖，对法国大革命一无所知，对雨果和狄更斯的小说不感兴趣，恐怕对贝多芬也就不会那么着迷，听他的交响曲也听不出什么味道了。

不管作曲家一心要传送给你多少信息，你不响应、共振、发出丰富的谐音，音乐就哑了。听众应该是一个共鸣体，那么就必得多从历史、社会、文化艺术中多方吸收有利于加强共振的资料。等你听得多了，尝到音乐"形象"的滋味了，那么你还必须把"形象思维"的潜力进一步调动起来。主要在于怎样能够敏感于音乐"形象"的个性与细节。

岂非自相矛盾？不是说音乐"形象"不那么具体吗？其实，它虽不如图画的轮廓分明，但它也绝不是像蹩脚的写景叙事文那么一般化概念化的。

暴风雨"形象"早已成了音乐中的陈词滥调了。但大师笔下的雷雨并不雷同。贝多芬的《田园》、罗西尼的《威廉·退尔》序曲都写了雷雨，都唤起我从小对夏日雷雨天气的体验。再听格罗菲的《大峡谷》和理查德·施特劳斯的《阿尔卑斯山交响曲》，那雷雨景又各有千秋。有趣的是，罗西尼和施特劳斯这两部音乐都叫人联想到瑞士湖山；施特劳斯和格罗菲都写了山区的雷雨，然而它们之间又都是各具特色的。还有如《培尔·金特》中那一篇海上风暴的"微型画"，《漂泊的荷兰人》序曲和《女武神的飞驰》中气势不凡的大幅"油画"，又是别开生面。大自然本不肯重复自己。音乐家的丹青妙手也可以从不同的方面表现同一题材。

音乐中最多的"形象"之一是舞蹈。但你难道会只听出一种共性的"舞"吗？肖邦的圆舞曲同小约翰·施特劳斯的固然大异其趣，肖邦本人的圆舞曲，也各有其性格。有的是群舞的

"形象"，有的，例如那首最为高雅的《升 c 小调圆舞曲》，分明是独舞的"形象"，恰似一位风华绝代的佳人，带着悒郁之情聊且起舞，那气氛是寂寞的。

可谈的太多了，且让我转到音乐"形象"的多义性这一有趣现象的话题。音乐语言有时是无须翻译的国际语言，音乐"形象"的被感受往往又因人而异。19 世纪有位乐人贝尔格尔，邀了二位同行听他的一首钢琴曲。大家非常认真地各抒所"见"：在煤矿坑道中看到天亮了；在俄罗斯猎熊，一对恋人正在山盟海誓。作曲者的谜底呢——古埃及法老发现了芦苇丛中的摩西！

可以不相信这种试验有多大价值，但是对于贝多芬《第七交响曲》的第二乐章这样的经典之作又如何？欣德米特告诉我们：一部分人感受到一种深深的忧郁；一部分人觉得这是一首情绪压抑的田园曲；可怪的是还有一部分人以为它是一首骂人的诙谐曲！

音乐"形象"含糊而又多有歧义，但这就像"诗无达诂"一样，而音乐也就因之呈现出更加微妙的色相。

苏联指挥家康德拉申谈到诠释标题音乐时有一番话很妙，对我们也有启发。他道是，作曲家虽然定下了标题，处理这部作品的指挥不妨有他自己形成的标题。那么听乐者不是也可以听出一篇自己的标题吗！

当然，并不总是会出现大家都找不到共同语言的巴别塔式的混乱。不然的话，在亿万听众心中就会有全然不同的贝多芬了。"共相"终究是为主，"殊相"并不会喧宾夺主。"殊相"中有"共相"。

　　但我要让你的"形象"热降点温了。"形象"化的听法，并非万灵的"导游"术，更难认为是最符合音乐本性的。还有另一类音乐，另一种听法。那就留作下回笔谈的话题吧。

不必唯形象思维

　　××君：

　　用欣赏文学、绘画之类作品的方式，靠可见与可想见的形象来听音乐，将音乐"译"为诗、画，我们已经习惯而且仿佛觉得是理所当然的了。每听一曲，常常会不由自主地要寻找"形象"：它描写什么？于是这种欣赏便成为用一堆想当然的"形象"去猜、去套、去对号入座的心理活动。

　　很有意思，当我们听音乐还没有入门的时候，最苦恼的是抓不住形象。等到我们去标题音乐的乐园中畅游而又倦游以后，忽然发现，自己的思维已经被"形象"束缚住，简直难以解脱了。带着这由原先的"拐杖"异化而成的"镣铐"听音乐，不但会觉得许多作品莫名其妙，甚至也妨碍了我们对一些不拘于形似的标题音乐获得更深入的领略。

　　于是，我们曾用了好大气力才抓住的"形象思维"，后来又需要卸掉这包袱，这也许更加费力！

　　这好有一比。学外语，起初总是要把一词一句在心里从外文翻成中文。学到一定程度，要想深通，又得摆脱这种方法，直接按照外语的意念去思维和感受。不如此，就无从深切理解原文。

　　发了半天空洞的议论，还不如举些例子来谈谈。有一篇莫扎特的作品，《C大调长笛、竖琴协奏曲》，不知道你和它可曾相识？历来的乐评家大概并不怎么看重它。如今在唱片目录中却不难找到，显然已经得到爱乐者的好感。但我总是为它未曾受到更多人的激赏而惆怅！这是总谱统共不过百页长的一篇中型乐曲。除了两件独奏乐器，乐队里只用了六种乐器。从这样一盆家常便餐中你尝到的是无以名之的一种美食。然而你也不大可能附会上什么景色、情节等等的形象，除非编造些出来。洋洋于耳令人陶醉的，只是那音乐本身。你得到极大的满足，因为你求乐而得乐，附加什么乐外的形象反觉得多余。不但是画蛇添足，甚至是佛头着粪了。"此中有真趣，欲辩已忘言"[1]听此种天真烂漫的音乐，最好是忘言，忘形。

　　我觉得，莫扎特的许多美妙之作都是需要用这种听其言（音乐语言）而不必求其形（象）的听法去赏鉴的，例如他的小提琴奏鸣曲和为不同乐器写的协奏曲等等，尤其是他的钢琴协奏曲。

1　原诗为"此中有真意，欲辩已忘言"，此处应是作者化用。

老巴赫的作品为什么对于听音乐经验不多的人来说好像一座不得其门而入的建筑？除了对音乐风格的陌生，对艰深的复调思维跟不上，显然，无法借助什么看得见摸得着的形象去了解它，也是一个重要原因。

比方他的那些创意曲，是钢琴学生的必修课。乍看会以为不过是他的三言两语，朴质无华，其实是"绚烂之极，归于平淡"的艺术精品。假如你愿肃静倾听，最好是通过亲自奏弄一番，让你的左右两半大脑交叉着指挥左右手，用复调语言交谈一番，你就可以从中获得非视觉形象思维的体验，并且感到这种所谓纯音乐的难言之美，也可说"美不可言"了。不是玩弄文词，确是"佛曰：不可说不可说"！谁叫我们的日常语言不是具体形象便是抽象概念呢！

假如你有更大的耐心，忍耐住一开始接近巴赫时很难免的枯燥无味，乃至像萧伯纳嘲笑那些19世纪英国绅士淑女听赋格时的打瞌睡，真心诚意地反复倾听几部他的管风琴或古钢琴赋格曲和无伴奏小提琴奏鸣曲，慢慢地就会涩尽甘来，体会到这种复调艺术的特别耐咀嚼，同时也便对独立于视觉形象之外的纯乐之美有更深的感受了。

我想可以这样来解释，音乐之所以被发现与创造，正因其有独特之美。否则，人又何必舍目而求耳呢！

自从19世纪以来，浪漫派乐人醉心于打通音乐与其他姐妹艺术之间的藩篱，极力撮合乐艺与诗艺的联姻。开发之功，功不可没。然而弄得过火之后，反过来有损于音乐的本色，也不免误导了人们的听赏，激发了那些吃腻了形象盛宴的人们向纯乐复归，重新发现过去的音乐。而有些美学家热心于推动别的艺术向音乐靠拢，所谓"一切艺术向往音乐"，这倒有助于提醒人们更加注视乐艺自身的魅力了。萧伯纳是个稀见的既搞文学又深通音乐的文豪。原先他极力为标题音乐鼓吹，断定"一切音乐无不是标题音乐"。认为音乐越靠拢文学越有价值。这却使他在评价莫扎特与贝多芬谁更伟大的时候顾此又不愿失彼，难以两全其美。后来他终于改口承认自己对标题音乐和纯乐的看法偏颇，对曾经贬低嘲讽过的勃拉姆斯也另眼相看了。

说句公道话，标题音乐和纯乐作品双峰并峙、二水同流，要叫我在莫扎特和贝多芬两美之间取其一或分高下，也难办！事实上纯乐与标题音乐之间又如何划清界限？莫扎特的钢琴协奏曲，有人当歌剧听。巴赫的赋格曲，迪士尼用卡通片来图解。勃拉姆斯的《第四交响曲》，也曾被编成了芭蕾[1]。你要是从无标题音乐中形成自己的标题，也不奇怪，何况，不少无题之作其实有题。

所以我们带要学会听这两种思维方式不同的音乐。还不妨试试，拿几篇标题音乐作品权且当作纯乐来听听看。贝多芬原想把自己的钢琴奏鸣曲附上解说，出一套新版，后来却打消

1　此处"芭蕾"改用"芭蕾舞曲"更准确。

了这念头。为什么呢？门德尔松所创的《无词歌》，不用说，是"意在忘言"，所以也无题（除了少数几首）。歌剧音乐有脚本有唱词有舞台形象，那是形象最明确的了。可怪的是布鲁诺·瓦尔特自云，在指挥一部歌剧中有时不知不觉进入了纯乐之境！

假如我们不会真正用自己的耳与心直接倾听音乐，那就会对巴赫、莫扎特的作品和贝多芬的室内乐作品食而不知其味。

要从只习惯于听有"造型"的作品的窘境中解脱出来，也许比学会听那种音乐更需要时间，需要有一个从倾听中积累体验的过程。为什么许多音乐爱好者要到中年、晚年才迷上莫扎特和巴赫呢？

也许，多学点音乐的"文法"——和声、对位、曲式之类，能让我们快一点进入纯乐之门和升堂"入室"吧？但对业余爱好者来说怕也未必能"立竿见影"。脑子里装着各种形象资料去听纯乐作品，固然会有劲使不上：一边听，一边竭力运用理性的思索盯着乐曲的形式、结构、技法等等，似乎就像听音乐节目时被解说的声音硬插进来一样煞风景。虽然在初听一部作品时不得不通过分析去了解它，但随后仍然以此为不二法门就不值得了。"七宝楼台"拆碎了，也就"不成片段"了。诗人徐志摩常劝他的学生们上兰心剧场去听音乐会，他教给学生的听赏法是应该"综合地听"。这证明他确有体验。我寻思，听纯乐作品恐怕尤其需要记住这一点。当我们倾听巴赫、莫扎特和贝多芬他们的杰作时，总是会被某种流动不息的力量所吸引而心不由己地跟着它向前。那是一股勃勃的生气，又好像是一种雄辩的逻辑力量。这是通过乐思的连续、展开而形成的。它的力量正可以说明不必假手于形象的纯乐的秘密吧？

需要说清楚的是，不用到纯乐中去找形象，并非说它是什么抽象如数学的东西，也不能想象这种音乐徒有形式而没有内容。不过我辈爱好者对这个复杂问题也只好不去深究了。

"纯乐"这词儿就是有争议的。有人说得妙，要说明何谓纯乐，只好说明什么不是纯乐。对于音乐到底能否做到"纯"这种音乐美学问题，从当年汉斯力克同瓦格纳一派的论战以来，恐怕至今仍然是打不清的官司。

弦内之音弦外听

××君：

　　笔谈怎样倾听音乐，不觉已到了"终曲"。好音乐，人们永远听不完，最深刻的作品也永远听不够。对于专门侍奉乐艺女神者来说，搞音乐是一种永无止境的探求，更何况我们这种普通爱好者！在永无尽头的音乐之旅中，话题也是谈不完的。

　　但我倒要提醒你，不能只顾倾听音乐自身，还要倾听别的；不能只顾深入乐境之内，却又忘了乐境之外的天地。老是"身在庐山中"，不可能识其真面目。木华作《海赋》，除了大海本身的奇观，还写了它的"上下四旁"。这对我们的乐海遨游不也是一种启示？

　　一定要扩展我们的视野和听域。不妨让你的眼光左顾右盼，注视那些同听赏有联系的知识。读读乐史很有好处，上一次曾提过。不过在浏览乐史之际，务必要同你已经精读、泛读过的作品的感受联系起来思索。不要满足于抽象干瘪的概念。

一方面搞清那些作者和作品大致的来龙去脉，一方面学会识别不同时代的不同风格。辨得出各种风格气派之间的同异、渊源流变，那便提高了欣赏力，也获得了更大的享受。比方，听得出海顿和莫扎特的乐风何其相似，联想他们二人的时代与相互之间的切磋熏陶，这不难；再听他们的不相似，联想莫扎特的特殊禀赋与开创新风的贡献，这就需要更多的倾听与思索了。贝多芬早期之作，一望而知有前二人的影响，细细玩味，又同中有异，有一股前人所无的劲儿。又比如，舒伯特是显然地不像贝多芬。想想《未完成交响曲》与贝多芬的《第九交响曲》，竟然是1822—1823年间诞生的"难兄难弟"，而其面目与气质是如此的不相似，真不可思议！然而"女性贝多芬"的作品中又常常有那位巨人的身影，这又是时代影响下的异中之同了。巴洛克音乐大不像后来的音乐，几乎一听便能辨别。然而我们还应该，也不难从比较之中感受到，巴赫、亨德尔同样是宏伟却一个更深沉一个更明朗，而斯卡拉蒂、泰勒曼和维瓦尔第又各有各的味道。同是19世纪浪漫派的灿灿群星，从总体上听绝不会与前一时代的乐风混同，然而他们之间又是何等的互不相似。肖邦和老柴的作品，不报名字也应该猜得出的吧？再说，一位巨匠的乐风也是有他自身之史的，尤其像贝多芬这样一手接古典之传统、一手开浪漫之先河的人。听听他的第一首钢琴奏鸣曲，再听《皇帝协奏曲》，再听那两部晚期之作"101""106"，我们虽然不过是浅尝辄止的普通爱乐者，也多少可以从中领略到他乐风的变动不居，从而也体验到他那令人赞叹的"心路历程"！

这也正是我热心奉劝乐友们浏览乐史的缘故。但我们又不要满足于就乐论乐，还要着眼于它乃是一种文化，而且要从音乐文化同其他文化之间的纠葛、影响来理解。如此才可以进一步打开倾听音乐的思路，激发、深化你的体验。

我爱读的乐史中有一本美籍匈牙利人保罗·亨利·朗写的《西方文明中的音乐》，它正是从广阔的文化背景上来谈论音乐的。不论其见解是否我们都能完全领会与接受，但读读它可以了解到音乐同别的文化并且与时代之潮之间难解难分的关系，懂得音乐是如此不简单的一种历史与文化现象。这样，我们也就会更尊重它，珍爱它，不当成消遣，也不会简单化地对待它了。

音乐文化史的知识是多方面的，并不只是人与作品的问题。例如乐器这类事物，不但是音乐借以体现的手段，它们反转来又引起与促进乐艺的展进，这也是值得爱好者留心了解的。当你了解到巴赫时代小提琴的弓同后来帕格尼尼们手里的琴弓大不相同，那么你在倾听前者的《恰空》与后者的《二十四首随想曲》时会有更浓厚的兴趣。当你了解到钢琴这种18、19世纪的新兴乐器如何日新月异，既适应了作曲家与演奏家的表现欲的要求，反过来又诱导了他们为它谱写新乐，施展新技巧，那么这对你品味不同时代的钢琴音乐，也是有用的。贝多芬的作品又是个好例子。他一生中前后拥有的钢琴，据考在五架以上。牌子不同，性能有高下。乐器生产力的迅猛发展也反映到他这位乐艺革新者的创作中了。从作品 2 号到 31 号，他只好将就着用五组六十一键的瓦尔特牌琴。待到有了五组半键的埃拉尔牌琴，《黎明》与《热情》相继诞生。这两部杰作的新乐想，在音域不够、音响贫乏的琴上，是不能让他畅所欲言的。有人以为，听《热情》末章中那反复敲打的小字四组的 C 音，可以想见作者的心情，那是彼时钢琴上前所未闻的一个高音呵！其后他又收到一架英国造的布鲁德伍德牌琴，有六个八度的音域，这又催生出那首钢琴文献中最为艰深的作品 106。

有利于读乐的音乐文化资料真是读之不尽。甚至像柏辽兹的《配器法》、魏因加特纳的《关于贝多芬交响曲的演出》这类专业书籍，也不妨看看。那里面不但有对我辈有用的知识，还可以感受到作者们对乐艺的极大热忱。

如果想进一步扩展眼界，大可注意一下"通感"这种微妙而并不玄虚的现象，有意识地用之于听乐。"视觉、听觉、触觉、嗅觉、味觉往往可以彼此打通或交通，眼、耳、舌、鼻、身各个官能的领域可以不分界限。"（钱锺书《通感》）我们既然对欣赏标题音乐有所体验，对通感这种审美现象也许比较容易理解。因为感可相通，所以艺也可沟通，于是诗中有画，音可赋"诗"。前文曾强调听乐不要拘泥于标题，也不要一味依赖文学语言的刻画描摹去寻觅乐中意象，又谈过纯乐有其独特之美，然而这并非要你去堵死那条通感的渠道。

门德尔松的文学修养高，且喜作画。想来他在捕捉音乐灵感的同时必也运用着他的诗心画眼。李斯特写得一手好文章，美术鉴赏也见多识广。所以古人的诗行与壁画也成了他标题乐的灵感源泉。另一方面，文人、画师也从音乐中取得滋养。巴尔扎克激赏贝多芬，德拉克洛瓦爱好莫扎特，梵高学弹钢琴……而许多读诗观画、欣赏建筑艺术的人，也常常听到了其中的"旋律""节奏""音色""复调"与"和声"。

中国古人的通感神经似乎是异常发达的，非但早就会"听声类形"，从歌声中"心想其""上如抗，下如坠……累累乎端如贯珠"，还有更奇妙的"感觉的交错"。像古诗"哀响馥若兰""犹吹花片作红声"，那感觉之敏锐，简直令今日的我们自惭迟钝！

让你的通感再大胆一些，那就可以从非乐、无声的情境中也"听"到"音乐"了。

最容易激发内心听觉的，首先是大自然了。在眺望美好景色时，正好把你喜爱的音乐在心里播放一段，常可从天、人、乐三者的契合之中，于刹那间领略到音乐之美，这比单纯倾听演奏所得的感受是更鲜活更有生气的。当然不是去为自然景观硬找配乐，如庸劣电视节目那样，而是从气氛、韵味中去感受。

　　从大自然中，我们听到的往往是牧歌、田园诗，真正复杂的"音乐"蕴含在社会与人生之中，那才是最宏大深沉的复调音乐。我们可以从历史、现实与音乐的联系中对音乐求更深刻的感受。但又不要肤浅地去对待这问题。用某个时代的史来图解贝多芬之乐，或用这音乐去伴奏那时代之史，都不免牵强附会。但你可以相信，一个大时代的心搏、气氛、时代感，仅仅靠文字绘画甚至摄影去记录，仍然是无力的、贫乏的。最能记录历史巨人的情感的是音乐。贝多芬的代表作就是这种时代心声和史声的"录音"。那么假如你对那个时代的种种一无所知，或无所感受，对他那音乐也就不会有强烈的共鸣。《一八一二年序曲》算不上深刻之作，然而其中抒写的俄人忠君爱国之情是有力的，也符合历史的真实。《战争与和平》也写了这场战争。托尔斯泰把保尔康斯基亲王等人对沙皇的崇拜，死而无怨地奔赴疆场，写得极其动人；然而，正是老柴的音乐，才更真切地传达了那种感情。房龙告诉我们，要知道拿破仑的部下对他何以那么崇拜，听听舒曼的《两个掷弹兵》，不难体验那种感情。我想，读《悲惨世界》看同名电影，滑铁卢之战中老卫队投入决死战的镜头惊心动魄！这也反过来有助于我们理解舒曼的歌曲。

　　我们既可以从音乐中去感受历史，也不妨有意识地从历史与现实中倾听"音乐"。尽管我们的想象力和内心听觉同作曲家比起来有天壤之别，尽管我们听到的绝不都是以谐和为主的美妙音乐，而是像先锋派的作品。

正像基音上的泛音所起的作用是丰富了音响也形成了不同的音色，你对人与史了解愈多，体验愈深，你倾听大自然中的天籁、人世间的人籁而有所得，那么你所能感受的弦外之音也就愈丰富，许多伟大深刻之作，你也就会愈听愈有味，常听常新了。

审美我为主

　　那种对文学名著的广告式的吹嘘，英国文人毛姆是很不以为然的。他认为，这样的滥捧到头来只会引起自有见识的读者的失望。

　　他的话也可以启发我们，对被人不加分析地颂扬备至的"名曲"，也不必不加选择地拜倒在地。读乐经验不多的人，很容易有天真而虔诚的"泛爱"，笔者也是一个过来人。

　　正如文学中不少是浏览一二遍便可放下之作，可听而无甚深意的音乐也相当多。这就需要选择，选择就需要鉴别。这谈何容易！我们爱好者在入门以后，需要有意识地自我磨炼的功夫之一就是鉴别力，这不妨借助"导游"，但又不可依赖"导游"。也许首先要鉴别选择一下你的"导游人"。不要像叔本华说的，任别人在你头脑中纵马驰骋。

　　据我的体验，读几本音乐史是必要而大有益的。（虽然我又不禁想到，徐志摩在讲授文学课时告诉学生"文学史是很有危险性的"，"以科学的方法来研究文学是很煞风景的"。）它可以引导你识其源、辨其流，对无涯乐海的风光作一辽阔的全景眺望。熟悉了音乐之流的来龙去脉，印证、深化了你自身的感受，眼界宽了，识别力也就会有所提高。

我想我们读乐史不必用学生念课本的办法，而可在泛览全书之后多留意那近代的一段，同比较熟悉的作曲家与作品联系对照而读之。

除了乐史，还想劝你翻翻乐人传记和乐人谈乐的书。其实这些也是一种乐史，而且是更具体生动的乐史。舒曼、李斯特、柴科夫斯基、柏辽兹等人论乐的书不但很值得一读，而且最好是不时地再去读读，以印证你自己倾听中积累下来的感受。当然绝不要以为大师之言"句句是真理"。对乐史也是如此。但如果对他们的见解不解，或难以信服，也便有了触动，可以"带着问题"再去倾听、思索、体验。这要比"无动于衷"地听往往更能提高鉴别力。例如柴科夫斯基对勃拉姆斯的不感兴趣，强力集团对肖邦的贬低，老柴与柏辽兹对贝多芬九部交响曲的议论有同有异，等等，都是读了极有启示也最能激发我们以新鲜的兴趣去倾听的。

有那么一批作曲家，虽然名登乐史，但其作品，有的可列于"妙品"，有些也许只能够上"能品"。这类作品是值得听的。为了从对照、比较中获得对不同乐风与流变等等的体验，也是不可不读的。但我们应该心中有数，不必稀里糊涂地把此类"妙品""能品"混同于真正的"神品",相提并论。随便举点例子,圣－桑、里姆斯基－科萨科夫诸公的有些作品,恐怕就是如此。

即便是真正伟大的大师们,难道就篇篇是珠玉?虽然索尔蒂颂扬莫扎特的音乐"无一句不美",但乐史与传记中明明记载着,他的有些产品是敷衍庸众的游戏文章,你又何必从中去徒劳地寻觅天才的灵感?为乐艺呕心沥血的贝多芬,至少也有一部乐曲,假如你想去抢购那唱片,我会毫不迟疑地奉劝你:听听广播,了解是怎么回事便够了!此曲,即所谓《战争交响曲》(《惠灵顿胜利交响曲》)。

我以为,我们既不必因其为某位大师的手笔便断定它值得顶礼膜拜,当然也不该一看那作者名声不显便低估了它。往往有这种情况:听一部声势不凡词藻华丽又有复杂技巧的大型协奏曲,你所得的实际感受,也许还抵不上一曲情真意挚的小品来得受用。甚而言之,我倒情愿再听一遍生气勃勃的"轻"性作品(比方约翰·施特劳斯的《蝙蝠》序曲),也不大想让某种其貌俨然的交响曲叫我纳闷半天。

你曾问起为什么帕格尼尼的协奏曲听来不过如此,感受不到当年的轰动效应呢?这正好做个例子来说明,"慕名"而往的"观光",所得的往往是失望。关于"神弓"的神话,不值得再炒冷饭。但请容我略引一点并非虚构的报道:当年的英国报刊上耸人听闻地宣传"其非凡绝技足以令大部分小提琴手由于望尘莫及而绝望自杀"！当时上演了一出以《G弦上的协奏曲》为名的闹剧，对帕格尼尼引起的轰动作了哈哈镜式的反映："三百人精神失常而入院治疗，四百位艺术家由于张口结舌时间过久，再也合不拢嘴，不得不去动手术！"

今天的我们绝不会像当年的听众那样"发烧"，也不会像当时座中的李斯特、舒曼等真正识货的人那么受感染了。其中缘故之一，据说是今日所演之谱是一回事，19世纪人们听到的又是一回事。帕格尼尼这位即兴大师是不看谱演奏也不受乐谱的约束的，传世之谱不过是他据以即兴发挥的基础罢了（乐队部分的谱是完整的。引自维努斯的《协奏曲》一书）。我们自然可以对此说存疑，却至少可以相信自己倾听的实感。我们如果不想去细究他运用的那些高难技巧（其实在现代已经失去了神奇性），那么与其在他的作品上多耗精神而所得无多，又何不省下这份时光，认真倾听几遍贝多芬那部朴素而深沉的《D大调小提琴协奏曲》，跟贝多芬的心更贴近一点呢？

又比方说，门德尔松诚然是可敬可爱的，然而上个世纪的英国人一度产生了门德尔松热，把他的音乐抬上了天。萧伯纳对这种庸流见识曾痛加讽刺。那么今天的我辈如果也感到他的交响曲不耐多听，也就是事出有因，无须自疑为欣赏水平不够了吧。

人们都讨厌新老八股文。殊不知音乐中的"八股"腔也并不稀见。这种乐中"八股"也是以空话与陈言相结合为特征的。本来是新鲜、新奇的音乐语言，也容易化为"八股"。民族风格原来是令人耳目一新的，19世纪时有人炮制虚伪平庸的"民族风格"音乐，这现象也受到萧伯纳的抨击。此类音乐"八股"并不难鉴别，其不值得听，是无须多说的了。

"精读"乐中精华，辅之以对乐风、境界、气质不同的作品的"博览"。从比较、对照中逐渐品味出何者是言之有物，有真情深意，有真境界与个性的音乐；何者是虚有其表并无深意的作品。通过二者结合、以前者为主的倾听，形成自己的主见，提高这种"识货"的能力太重要了！这样才能获得真享受，不然的话，你只能跟着别人去抢购不值得买的热门唱片。

自有主见，而又在博闻精读乐曲、阅读乐史乐评中发现、修正自己原有的印象，改变成见，是最能使你向"知音"的水平提高一步的。西格蒙斯派尔斯的《音乐欣赏》中有句话："如果自己（对某些作品）的看法不断地变动，那很好，说明你的趣味在发展。"诚哉斯言！从前我对勃拉姆斯是不屑一顾的，原因是受了有些评论的影响，嫌他晦涩。后来有位青年朋友告诉我他听勃拉姆斯《第二交响曲》的感觉，我不觉心动，从此认真倾听他的作品，改正了看法。当然，原来一见倾心，觉得美得不得了的，后来多听之后便意兴索然的作家、作品也不少。这也是鉴别力有了长进。

我们既然深信，对于理性的问题贵在独立思考，那么，情感艺术，尤其是以声传情的乐艺，更不能不着重自我体验，不妨说，"眼见"（读别人赏析文字）"为虚"，"耳听"（自己倾听）才"是实"！

我想，我们业余爱好者有一种不受职业等等因素局限的优势，我们要敢于以我为主地去"探险"，我们要敢于独立自主地审美，敢于褒贬、抉择，也勇于修正成见、偏见。

你也许要反对：这都是乐评家的责任，我辈凡人哪有这本事？有人在论文学作品时认为，创作者是以其作品在批评，批评家是以其批评在创作。我想，作与评不都是为了广大读者、听众吗？我们理所当然地是审美的主人。当我们在倾听中同作者交流之时，既是在参与创作，同时也在进行评论；那么在乐评工作尚不发达的中国，我们"爱美者"又何必自卑而放弃那"天赋人权"呢！

读书益智，提高听功

音乐史

一个真正的爱乐者必读的资料，首先就是乐史。与其找那些作为专业者用的教科书来啃，倒不如捧起《西方文明中的音乐》来读。这部十六开本、七百多页的书，有五斤重，捧不动，只能伏案披读。但我们从头读起。全书二十章，前九章谈古代之乐，对于我们太陌生。先读第十三至十九章是可取的读法。第十三至十九这几章说的是古典派与浪漫派，正是我们熟悉也最需要了解的。索性提前读。然后回过头去读讲巴洛克、洛可可的第十至十二章，也便可以得此书之精华了。

此书中，以简洁明快的笔墨勾划出西欧 18 世纪思想文化潮流画面上的一轮旭日——也便是所有的乐人心田里以鲜花供养的神明莫扎特。简直是一篇文采绚丽的"太阳颂"，令人联想到文艺复兴时代名画，波提切利的《维纳斯之诞生》。

　　第十八章别开生面，为比才、勃拉姆斯、威尔第三个乐风与人格浑不相似，却又是同瓦格纳并世而立却又不同调的乐人写了一篇合传。绝妙者，此一部"三重奏"，却又同前一章构成了对位、交响。这第十八章画龙点睛，题为《反潮流》，他们三位所反者便是"未来音乐"的教父瓦格纳。

　　《反潮流》这一章里，对"三 B"之一的勃拉姆斯有精彩的特写。我们像是看到著者在绕着勃拉姆斯的塑像作面面观，不仅如此，他又像一位手持柳叶刀，刀下不留情的解剖学教授兼心理分析家，诊断出了那位大师的二重人格症，认为："他的心充满了暗伤，疤痕累累的，敏感性使其一生成了哈姆雷特人生。"

　　书中用一百三十页写了巴洛克音乐。他大发感慨："巴洛克音乐的宝库可说还根本未经开发。"又断言道："这一事实不仅使我们享受不到伟大的艺术，也是造成今天（按：指 20 世纪，著者 1991 年才去世）的音乐处境可悲的一个直接原因。"

　　我们无须对这部学术著作望而生畏。P. H. 朗心目中的读者正是广大爱乐者，真诚追求对严肃音乐的审美享受，同时也对音乐文化抱有求知热忱的人，我深信，它确实是为我辈知识贫血的凡夫写的，尽管和有些"乐普"读物写法不一样。他不但叫你读时痛感自己对文化、艺术无知得可怜，就像《庄子》中的蓬间雀那样：也在邀请你向无垠之境去作汗漫游。

乐人传

乐史读一二种就足矣，读乐人传记最好是多多益善。其中，重中之重当然是贝多芬传记。

在乐人传记中，贝传的数量之多汗牛充栋也是突出的现象，只要翻开《新格罗夫音乐与音乐家辞典》，看贝多芬这一条目后面那密密麻麻的书目便知令人不知选哪一种好。

有一点应该注意，贝多芬身后将近两百年来，他的声名不但超凡入圣，而且成了神，人们对他的评价经历了一个圣化—神化—人化的过程。

上个世纪出过三部贝传，据称是"贝学"的里程碑：《音乐的创造者贝多芬》《音乐的战胜者贝多芬》《音乐的解放者贝多芬》。后一部有中译，可惜译文不大好读。

贝多芬被赞为"乐圣"，可能是从东邻扶桑传来，此"圣"不是西方"宗教圣徒"之"圣"。

我们应该选读的是那些把贝多芬还原为"人"的贝传。建议你先读《新格罗夫音乐与音乐家辞典》中"贝多芬"的条目。这虽说只是一个条目，比起上个世纪人们（不仅爱乐者）醉心阅读的罗曼·罗兰所撰、傅雷所译的贝传信息量大得多了，等于是一部中型贝传。

这个条目最后的一节，《身后的深远影响》，受到资深学者罗森激赏，值得特别关注。

如其还想进一步阅读更详尽的贝传，那也只好求之于外文图书了。有一部美国人乔治·马雷克的《贝多芬—— 一位天才的传记》（1969 年版），我想是值得一读的。

马雷克本着应该如实地将贝多芬"人化"的思想写了这部七百页的传记。

莫扎特的传记，除了阿尔弗雷德·爱因斯坦写的一部（英译本）以外自惭无知，我竟无法推荐一部自己信得过的莫传。

除了阅读《新格罗夫》中"莫扎特"的条目外，建议务必认真读读《莫扎特家书》。我们能从中直面这位旷世奇才的人生，这是本来并不想公之于众的"自述"，因此是非常可信的真心话。原书好几卷，中译本有钱仁康译的选本。

有中文译本的乐人传中，柏辽兹的回忆录是值得一读的。此公有两支笔，一支作曲，另一支用来写文章，可惜我们能读到的太少。他评介贝多芬九部交响曲的文章有中译本（人音版）。当然值得读，只是叫人遗憾他谈得太少，不过瘾！

有中译本的乐人传还有一些，例如李斯特、肖邦、德沃夏克、卡拉扬、帕格尼尼、托斯卡尼尼等等。

匈牙利小提琴家约·西盖蒂的《关于小提琴演奏》是一部可当自传读的文集，内容相当丰富。除了有关演奏技术的问题以外，还有大量其他话题，读了令人大开眼界。他回忆了自己对众多前辈大师演奏亲见亲闻的印象，其中有那位《吉卜赛之歌》的作者萨拉萨蒂，记下了自己听他演奏门德尔松小提琴协奏曲的感受。对前辈的演奏技巧，他既敬佩而又不与人苟同。

书中回顾从 19 世纪到 20 世纪音乐会中小提琴演出曲目的变化，也是一个有意思的乐史话题。

对 20 世纪以来越来越风靡全球的音乐比赛，西盖蒂深怀忧虑，用大量篇幅来评论它对音乐艺术发展的利弊，也显示出他的艺术良心与远见。

音乐评论

非常值得我读的一种乐评集是萧伯纳写的。萧翁这位无人不知的大文豪，既是戏剧家，又是社会活动家。这两者的声名掩盖了他早年是一位乐评家的历史。他的舞台剧以及他在社会舞台上的言行充满了幽默，不是那种仅仅引人发笑的"幽默"，是敢于直言并且带刺的幽默。

说来也可能有人不信，他的乐评有十六开本三厚册，缩成一大厚册的一种选本也有好几百页，但是这种快人快语的热诚的乐评，爱乐者会不忍释手，只恨其短。你到大图书馆去借选集一读便知。萧的语言有特殊风味，从原文中直接领会最佳。

可喜的是有三种乐评集早就出了中文的译本。

一种是舒曼的《舒曼论音乐和音乐家》。他正是音乐家中写文章的大手笔之一。《脱帽：一位天才！》就是他为初出茅庐的肖邦喝采的一篇名文。

另外两种是老柴的《论音乐与音乐家》和《论音乐创作》。前一书中值得注意的是他对韦伯、莫扎特、贝多芬的歌剧作品的评论。评瓦格纳的音乐和《拜罗伊特音乐盛会》这两篇，读了可以获得那个"瓦格纳狂热"风靡一世的时代史感，这是可珍贵的乐史。在后一本书中，他对贝多芬的九首交响曲有简要的品评，我们可同柏辽兹的文章对照而思考。此书中更有意思的是老柴同别人谈他自己的作品。对那些作品他常常会起初颇为自信、自喜，后来又忽然看得一文不值，甚至不愿其流传了。例如对《曼弗雷德交响曲》这作品便是如此。

《里米尼的弗朗切斯卡》和《暴风雨》这两首作品如今已经有了定评，列入经典之林了。柴科夫斯基自己却并不将它们看成自己的佳作。

专业性著作

专业性的书也有可读的。柏辽兹的《配器法》不但可读而且我要劝你必读。

乐曲一般的会有个编号，例如《月光奏鸣曲》的编号是作品27之2。这没有什么可奇怪的。然而柏辽兹将他所著的《配器法》同他的乐曲放在一起，把这本书编为作品10就怪了。这说明了他对它有特殊的关注，像是在奋笔写作时进入了谱曲那样的精神状态。

用管弦乐队演奏的交响音乐像一幅彩画。作曲者为乐曲"随类傅彩"，运用的便是配器法。（配器还有另外的含意，一言难尽，此处不谈。）

柏辽兹是配器法大师。听他的名作便可证实。不过，听曲只能知其然。如要知其所以然，这部《配器法》便是值得我们细读的好书。它本来是一部教科书，发表六十年之后，另一位配器大师理查德·施特劳斯仍然饶有兴趣地为它编订、评注，重新出版，虽然他在书中不止一处不客气地批评道："（此种见解）现已过时。"却又在好些地方忍不住赞赏："金玉良言！"更可喜的是，编订者在原文中插进了大量他自己的见解。读此书，我们就像旁听两位不同代的标题乐大师（他俩也都一身二任，作曲家兼指挥家）在联席开讲。柏辽兹主讲，施特劳斯插话，时而首肯，击节称赏，时而又平心静气地提出商榷。例如，柏氏论单簧管的特性，说是听了会联想到史诗中的女英雄。施氏评曰："很优美的感受，但略显片面。"有一处则断言："全部过时，只有配器史的研究价值。"

柏辽兹是作为一个管弦乐的知心人在倾听自己的知识与感受，他谈得如此深情，叫人忘了它是一部学术名著！

一看《交响音乐分析》这一书名，可能让不少爱好者掉头不顾，以为它是写给专业者用的，而它却是一本"引人入胜"的著作。"入胜"便是进入名作的佳境，使你对已初步熟悉的经典作品的精微之处获得更深的领悟。同那种只枯燥地分析的教材不同，著者托维既是学者、作曲家、指挥家，又以多年的指挥实感，使其对名作的分析不是纸上谈兵，而有精微独到的见解，又以精辟风趣的文笔表达之，读来绝不会令人感到枯燥，可惜中译本（人音版）只有第二卷。在此卷中他论析了十五位作曲家的四十一首作品。其中，贝多芬的《第九交响曲》、老柴的《悲怆》、德沃夏克的《自新大陆》正是我们更熟悉的作品，也最需要知道更多更深的理解。尤其是《贝九》，在书中有五十九页的详尽分析，是我们可以享受的一份营养丰富的美餐，大家切不可放过。

在这本小小的导游册子里，读到的作品统共不过两百首。不知道有些读者会不会嫌少？

无可奈何！钱锺书、金克木等大天才他们能读破万卷，从中获得求知的大享受，但他们可能像翻书一般地浏览音乐吗？即便许多指挥家有速读乐队总谱的本事，他们在精研那些乐谱的含义，将其化为实际音响来诠释时，也不能随便压缩删节，化盛宴为快餐吧！

所以任何爱乐者所真正领略的美好音乐都只能是有限的。乐曲有长度，演奏、为听懂而必得反复的倾听、为弄清那些最起码的音乐术语和乐曲背景，无不需要时光的投资！

然而时间之有限与音乐之发展无限这一矛盾不仅没法减少还在扩大。全球的信息爆炸，当然包括音乐信息。《格罗夫音乐与音乐家辞典》从1878年出第一卷，那一年勃拉姆斯写了他的《D大调小提琴协奏曲》。1980年《格罗夫》的第五版增长成二十卷，前几年出的新版又膨胀到二十九卷两万七千多页，总计两千五百万言。不用说，世界上的作曲家更多了，写给人们听的乐曲也更多了，人们来得及狼吞虎咽吗！

我这本导游册里的范围是巴洛克到德彪西。德彪西以来的新派音乐没功夫听也没那个胃口。这当然要怪本人眼界太浅。

然而试翻开朗的那部力作《西方文明中的音乐》来看，半个多世纪之前出版的此书写到斯克里亚宾便刹车了。五十六年后，此书重印，一字未增，直到1991年朗氏才辞世，他并不是没时间续写，他是对音乐的前景不抱乐观。

可笑，本人在迷上了音乐之后，曾想象20世纪必定会出现新的贝多芬，不止一个，而是像文艺复兴时期的群神灿烂。根据当然是进化论，新陈代谢。

新贝多芬并未出现，老贝多芬巍然犹存，不但其作品仍是音乐会上的保留节目，而且"贝学"有了长足的深入发展，他已从神成人，同人们更靠近了。

新版中"贝条"撰写者感叹："真难以想象有哪一天贝多芬的音乐的神奇生命力会消亡。假定那一天真来到了，西方文明（按：何止西方！）怕也就进入了另一个年龄了。"

一切艺术作品的评价都要在时间法庭上接受最无情的裁判，作为时间艺术的音乐似乎更难逃此一考验。《牛津音乐指南》的独力编者斯科尔斯从19、20世纪之交英伦、纽约重要的音乐厅节目单中目睹了时光大法官的严峻：许许多多红火一阵的新作品，转眼之间便从节目单上消失了。

自从唱片、广播出世，它们的可重复性将原本需要漫长时光才能见分晓的过程大大缩短，而"法官"与"陪审"——听众大大增加了。

但是精神产品是不能像物质产品那样来评价的。音乐作品似乎尤其如此。

不妨强调一下，对于我辈门外爱乐凡众来说，爱听哪些作曲家、哪些作品，根本上是一个个人的主观性极强的问题。

主观、偏爱、偏憎，当然有一知半解甚至无知的因素，但其中还包含着一个微妙难言的"缘"这个问题。此"缘"与宗教神学中所谓"缘"并非一回事。它指的是某些偶然的契机。

本书中将某些作品归入"必读曲目"或"可读曲目"，其中取舍，肯定会令方家齿冷。这次修订并未更改，是因为自己凡是真爱的作品总想与同好共之。这和对作品的评价无关，而是因为自己与某作品有"缘"，故此也愿它与他人结"缘"。

或问：是否还可列一个"不可读曲目"？我想那也未尝不可。任何爱乐人都会有他不喜乃至不愿听的作品。比如霍尔斯特的《行星》，听过一两次我便深恶痛绝再也不敢听了。斯特拉文斯基之作也是我厌闻的。但是列举一堆"不可读之作"（来告诉别人），未免强加于人，有背于宽容之道了，我岂敢！何况，很多听着逆耳的，很该当作"难懂"的新创造来探险才是。假以时日，反复倾听，有可能听懂，可惜没那么多时间，何况，对音乐文化的创新、试验，不但提不起好奇心，我已经颇怀杞人之忧了！

第三辑

乐人点滴

海顿递交的博士论文

　　海顿1791年被英国牛津大学授予名誉音乐博士学位。这对于一位在艾斯特哈兹亲王府里干了近三十年音乐工作的音乐老人真是很光荣的。在亲王府里伺候贵族们，遵命作曲，不管你灵感来不来；领着乐队在主公欢宴宾客时奏乐助兴；每天就餐时跟府中仆役坐一桌，据说坐的位置也有规矩，"在盐瓶以下"！而大管家是坐在盐瓶以上的。

　　这种卑微屈辱的处境，比中国从前官绅门下的清客、帮闲似乎还难堪些。但这并不是海顿一个音乐家的特殊情况，18世纪的乐人大多如此。莫扎特生来心高气傲，不甘向这种环境低头受气，宁肯得罪他的庇护人萨尔茨堡大主教，拂袖而去，上维也纳当了个"自由"音乐家，靠演出和卖曲为生，但生不逢时，一生潦倒，英年早逝。他死的那年正是他的忘年交老海顿去伦敦演出、接受上述学位的时候。

　　且说凡是音乐家接受这种学位，也有个规矩，或是做一次学术报告，或是交一篇本人作品，并在仪式中演奏一场。

海顿那次所递交和演奏的是一部交响曲，即《G大调第九十二交响曲》，它由此得了个"牛津交响曲"的外号。海顿一生写的一百零四部交响曲差不多都有个外号。但我们不必望名生义，当标题音乐听。此曲虽然作为"毕业论文"在当时呈交，实际上几年前便写出了，也并没想到会派上用场。

据记载他另外还交了一篇"论文"，那却是有点特别的。是一首总共只有六小节长的曲子，但因为是"卡农"（canon），也便是轮唱曲，只需照那写出的六小节主题用轮唱的办法唱便行了。

它的奇处是，它不是一般的那种轮唱曲，而是"逆行轮唱曲"。第二和第三个声部，也即模仿声部，要从结尾回溯到开头。

这首曲子的乐谱看上去很古怪，要用文字说明反而讲不清，请看下面的谱例便知。

音乐家的庇护人

　　人们都知道约瑟夫·海顿的庇护人是艾斯特哈兹亲王，从1761 年到 1790 年，他在亲王府中待了差不多三十年，也就是过了小半辈子。他的交响曲、四重奏等作品，大部分是在那里写的。

　　他写那么多音乐，主要就是为亲王效劳。每逢出去避暑，艾斯特哈兹亲王也离不了音乐，随行人员中有一支七十人的乐队，一支四十八人的合唱队，老海顿的差事便是作曲和指挥，用音乐伺候他的庇护人。应该说明的是，亲王确实嗜好音乐，自己还能玩乐器，特别爱玩一种叫"巴列通"的古弦乐器。为它，海顿写了一百二十五首曲子。另外也值得一说的是，亲王并不勉强他写供宾客们娱乐之用的通俗音乐。

　　莫扎特父子是萨尔茨堡大主教的手下人。莫扎特虽然摆脱了这种羁绊，跑到维也纳，但还只能做个半自由职业者。为了生活，仍然要找奥地利皇帝庇护他。

贝多芬比莫扎特更刚强，更不想寄人篱下。但是在当时的情况下，如果没有一帮贵族"赞助"，赠给年金，单靠自己卖作品，他的日子就很不好过了。比他年轻的舒伯特之所以潦倒一生，正是同找不到庇护人有关。

19 世纪的音乐家，由于音乐文化的兴旺和音乐活动的商业化，像是独立而自由了。但李斯特光靠演奏也不行，还得有个魏玛宫廷支持他。

最突出的例子是瓦格纳同巴伐利亚国王的关系了。如果瓦格纳没有得到这位十八岁的国王的赏识和宠爱，他那庞大的耗资巨万的乐剧事业很可能落得个凄惨的下场。

20 世纪，音乐家庇护人并未绝迹，不过是另换了一种形式，但也成了更加赤裸裸的雇佣关系。

美国一些百万富翁喜欢拥有私人管风琴手，专门为他一个人或不多的几个人演奏——这种独奏与独赏当然也必须拥有私人管风琴。我们知道，管风琴是何等庞大的一种乐器。石油大王洛克菲勒就是这种独赏者。

有位管风琴演奏者的雇主或者说庇护人，是钢铁大王卡内基，演奏者每天早上都要为正在浴室中洗澡的卡内基奏琴。

乐人同病

贝多芬并非音乐史上唯一的聋子作曲家。法国19世纪的作曲家福雷，写了许多有法国风味和个人特色的作品。他不但晚年耳聋了，而且在此前还有怪症。凡是高音他听起来都低三度音，低音则反过来高三度音。中间的音幸而不变。

捷克民族乐派奠基人斯美塔那的名作《伏尔塔瓦河》对于他本国人来讲，就像我们的《黄河大合唱》。他比贝多芬聋得晚些，其时年已半百，这虽是他不幸中之幸，但他也像福雷那样有怪症。贝多芬苦于充耳不闻外界之声，他却总听到耳中噪声不绝，有时如同置身于大瀑布之下，喧嚣难忍，害得他无法作曲了。

1883年他坚忍地动手写一部歌剧，那是以莎翁的《第十二夜》为蓝本的，好容易才写了一点点，就被送进了疯人院。于是又落到了同舒曼一样的厄运中。

有些人因病而听力失常，有位指挥家在一段时间里听某些乐器总是高了三分之一度，只好隐而不宣。但乐队指挥的职责之一就是要敏锐地察觉乐队中的音准是否出了问题。更古怪的，有人两耳听觉分歧，同一个音，一耳听起来比另一耳偏高或偏低。有个音乐家害了这怪病，告诉人：设想你听别人用相差半音的两种乐器同时演奏一曲，便知道那滋味了！

瓦格纳的交响曲

一提到瓦格纳，人们心里立刻响起他那些乐剧中的音乐，一部又一部，长而又长。剧中塞满了他精心编撰的"无终旋律"。其实，要是把他写的全部歌剧和乐剧连缀起来听，也成了一支浩大的"无终旋律"。

光是这些，人们便已经来不及细听细玩了，因此也就很少人会想到：除了写这些，他是不是还写交响曲呢？既然这个人对贝多芬的交响曲五体投地地佩服，他似乎不应该不写。

他写了。就在将写作乐剧作为终生大业之前他就写了。当他人到暮年，写乐剧似乎已写够了的时候，有一次为老婆科西玛做生日举行家庆，他把五十年前写的《C大调交响曲》拿出来献演。演奏的乐队是一些音乐学院的教授和学生拼拼凑凑组成的，大师本人也夹在里面。他非但不"悔其少作"，而且很喜欢它，主要是因其不卖弄温情而但求崇高。

老丈人李斯特也欣赏它，赞之为"赫拉克勒斯降龙"一般的音乐。

忽然又对交响曲感兴趣，倒也并非一时的高兴。在他写作《诸神的黄昏》和他最末一部乐剧《帕西法尔》的过程中，强有力的交响曲主题时时来打乱他的构思。他曾为此向人诉苦说：那样好的可以用来写交响曲的乐想，自己却苦于无法利用！

究竟应该用何种形式来处置这些灵感，他对这个问题很有兴趣地进行思考。曾想过是否写成某种"交响对话"，也设想过写成一首有个行板中段的单乐章交响曲。

为什么是单乐章？他一向认为，自从贝多芬之后，再也无人能写好一部有四个乐章的交响曲。凡是那样做的，都像是在模仿贝多芬。特别是谐谑曲乐章更叫人觉得是这样。交响曲的最后乐章，从来就是块绊脚石。唯有贝多芬才能在这个其他人栽跟头的地方安然通过。

瓦格纳晚年写给李斯特的一封信中还谈到，如果有谁打算写交响曲，有件事决不能做，那便是主题对比的手法。贝多芬早就用尽了此一方法的可能性。他认为，我们所能做的只是将一条旋律线尽其可能地编织下去。

除了上面说的这首《C大调交响曲》和作于1834年的另一首，瓦格纳再没有写什么交响曲。这首作于1832年的《C大调交响曲》，从前听过的人也不会多。音乐会中极少，也许从未演奏它。

但是还有比这更可遗憾的。以《浮士德》为题材谱写的音乐作品，可以列举出一长串来，它们写得各有千秋。其中，瓦格纳的《浮士德》序曲也许可评为最感人的一曲。悲剧人物的意象和气氛，被他着墨无多地素描出来，一听之下便难忘怀。相形之下，老丈人的《浮士德交响曲》虽然花了大力气做大文章，听了似乎并无所得。

真真遗憾，《浮士德》序曲本来要写成交响曲的！它只是原来构想的交响曲的一个乐章而已。后来没再往下写，只对它稍加改动便算了。

原也想作而只草成一篇大纲的，还有1868年的《罗密欧与朱丽叶交响曲》。

瓦格纳是个想革传统歌剧之命的人，在他的乐剧中，一反旧套，管弦乐不是只担负歌唱的伴奏过门，而是为剧情的进展作一种交响化的描述。乐剧中许多段落的管弦乐可以当交响曲来听，也被摘出稍加改编后成了音乐会中的精彩节目。演奏的效果甚至比看舞台演出更加引人入胜，《指环》中的《女武神的飞驰》《魔火场》《森林细语》等曲就是例子，更不用说那些序曲、前奏曲了。

如此说来，瓦格纳虽然后来再也顾不上写交响曲，其实他已经把它们写进他的乐剧了。

瓦格纳要听《卡门》

尼采有一封信中谈到，他知道有人目睹了瓦格纳由于讨厌比才的音乐，竟然爆发了一阵怒火。

但也有相反的说法。有个约瑟夫·鲁宾斯坦（不是那两位出名的钢琴家）证明说，他曾见瓦格纳多次提出想听听《卡门》中的片段。特别是第一幕中有段二重唱，特别使他喜欢。他认为，像这种天真烂漫的新鲜气息可以从本来是通俗的曲调中引发出新的力量来。

自居为已经衰颓腐化的歌剧艺术的救世主的瓦格纳，不喜欢比才的音乐倒并不奇怪。比才的歌剧音乐自然而又极富人间情味，同瓦格纳那庞大沉重艰深玄秘的乐剧正好形成了鲜明的对立面，口味完全不同。

瓦格纳其人是非常多面的。比如，和他同时代但发迹走红比他早的迈耶贝尔，专门以制作堂皇浮夸的豪华大歌剧来取得轰动效应，对此种歌剧，瓦格纳是不屑一顾的。但也有人指出，他从前者的手法中吸取的东西比他肯承认的来得多。

那么瓦格纳在有的场合看不起比才的音乐，在另外的场合又如此欣赏也就可以解释了。

反过来比才对瓦格纳又如何呢，那也是爱好他的音乐的人感兴趣的吧。他的态度是光明磊落的。虽然厌恶瓦格纳的为人，也不欣赏瓦氏鼓吹的什么"未来音乐"的主张，但是他在普法战争中困处巴黎危城之际，在一封信里劝他的岳母，不要把瓦格纳的音乐和政治倾向混为一谈。话说得很恳切："'未来音乐'是无聊的话，而瓦格纳的音乐是属于所有时代的。"能在那两个民族相互仇恨，法国人同仇敌忾的时候对文化艺术问题有这样清醒的头脑，比才真不简单！当时他还是奋起抗敌的国民卫队中的一分子呢！那也足见他对瓦格纳的作品不但胸无成见而且很欣赏佩服吧。

一文三曲组成的"瓦格纳交响曲"

1870—1871 年间，瓦格纳写的一篇文章三篇乐曲，都是为了某种具体目的而作的。例如《齐格弗里德牧歌》之作是为了庆贺儿子的诞生。

有人说，这一文三曲可以合而观之，当一部四乐章的"交响曲"来读。

《贝多芬论》是一篇严肃而充满激情的论文，也正像是那样的"交响曲"第一乐章。

《降书》(或《投降条约》) 像一首滑稽突梯的谐谑曲。

《齐格弗里德牧歌》正好用作这首"交响曲"中的行板乐章 (此曲本身便标的是这速度)。

而那篇《凯撒进行曲》[1]"威风凛凛的快板"，便是"交响曲"的最后乐章。

1　*Kaisermarsch*，现在通常译为《皇帝进行曲》。

提出这一想法的人认为，合读这部"交响曲"，才能反映出瓦氏的全体。

文、乐可以相通。文如其乐的例子可以举柏辽兹。他那文字和他的音乐一样，其中都有热情之火。文如其人，乐如其人，那就复杂得多，不一定了。

瓦格纳这一文三曲，我们只知其二。《贝多芬论》一文有中译（见《贝多芬论》一书第十四页，人民音乐出版社）。

《齐格弗里德牧歌》是爱乐者必赏的名作，也并不难听到。

《降书》则没有人介绍过，内容不明。

《凯撒进行曲》也听不到。也许因其为歌功颂德之曲，所以人们对它有看法吧？当年普法战争之后，普鲁士国王由于武功赫赫，被拥戴为德意志的皇帝时，瓦格纳写了这首颂歌。

有如此的历史背景，爱好和平、憎厌军国主义的人们当然很难对它有兴趣。

但是本身是和平主义者的萧伯纳却有他的看法，一听上去是不免叫人觉得逆耳的怪论。

他在一篇乐评中如是说：

"此作那史诗般的堂皇，灵感当然来自铁与血的地狱狂欢节，那场普法之战。此曲以及拿破仑三世帝国之覆灭，可以看成是从恶难中产生的两件好事。将来，当其写作来源被人忘却之后，它是会受人喜爱的。"

　　音乐作品中，的确不是没有同类现象。当年，老约翰·施特劳斯为前往镇压意大利人民起义的"拉德茨基团"所谱的进行曲，今天不是成了群众爱听、维也纳新年晚会中常奏的乐曲？

瓦格纳为《指环》煞费苦心

《尼伯龙根的指环》这部要连演四夜的庞大乐剧，当然是瓦格纳毕生事业中最高大的一座纪念碑。从构思作剧作曲到最后全剧上演，辛苦经营了二十多年。

可以说明他是如何不惜花费心血的例子举不胜举。他不但一手包办了作词谱曲，对于如何把剧本和总谱化为舞台上的形象，一切都经过他的考虑和安排。

当这部乐剧在拜罗伊特剧院中向来自欧美各地的观众演出之前，排练工作进行得极其紧张。瓦格纳此时仍然不得安闲。每天早晨，每个下午，他都亲自参加排练工作。他事必躬亲不辞劳瘁到了这种程度，谱上的每一行他都唱了示范，剧本中规定的演员动作，他几乎每个动作也要示范！

《指环》终于隆重演出而且引起了轰动，盛况空前，叫好声响成一片。

然而，据他妻子科西玛透露，功成名遂"大事已完"的大师，内心深为失望。许多角色的表演不如他所期望。对于他手下爱将，精通瓦氏乐剧的指挥里希特的音乐处理，他也未能满意，还有其他许多问题。

瓦格纳十分丧气，告诉科西玛，说自己真想一死了事。

是仅仅因为演出工作不如人意吗？还是因为辛苦二十年磨一剑，到头来才发现这种乐剧艺术并不像他想的和宣扬的那么完美？

雷诺阿为瓦格纳画像

瓦格纳功成名遂，晚年作意大利之游。

法国绘画大师雷诺阿是爱音乐也懂音乐的人，是瓦格纳的崇拜者，这时刚好也在那里。

众多友人敦促他尽其所能地为大家共同崇仰的大师画一张像，至少也得留下一幅速写。

雷诺阿乐于从命。后来他回顾作画的情景："我听见了从厚厚的地毯上踏过来的脚步发出的闷声。只见大师身穿天鹅绒料子的长袍，大袖管，衣裳面子用的是黑缎子。

"我们之间进行了狂热的交谈，我想，自己当时一定说了许许多多的废话。最后，惶惑得不知所措的我，昏昏然，脸红得像个火鸡。

"大师允许，第二天去画像。

"次日作画时，我紧张异常，自惭不是安格尔。画了三十五分钟。其实要是时间短一点，效果也许更好。因为年迈的大师坐到最后，失却了欢快的情绪，有点不自然了。

"对于他这神情我还是作了忠实的反映。

"画完了，他要看看画得怎样。

"'啊！啊？看上去我倒像个当了部长的清教徒啦！'"

事实上，瓦格纳同雷诺阿这两人的个性与艺术，太不相似了。如果由梵高来换后者，说不定这张肖像会画得更好些。

梵高是很了解乐、画相通的人，他曾将瓦格纳的管弦乐配器之灿烂同自己手持的那块调色板作了对比。

瓦格纳请教圆号手

　　瓦格纳为自己写的乐剧《纽伦堡的名歌手》配器的时候，到第二幕尾声，有支由剧中人物贝克麦赛唱的小夜曲旋律，他把它配上法国号，却又对演奏效果如何心中无数。他便下楼去问里希特，汉斯·里希特是管弦乐队的圆号手，此时又当了瓦格纳的抄谱手，关系颇好，所以住在他楼下。

　　大师问这个年纪才二十出头的圆号手，照那个速度，圆号好不好吹。里希特告诉他，行，但是听上去会叫人感到很难吹，而且有鼻声。瓦格纳一听便说："妙极，那正合我意！"

　　原来，那个贝克麦赛在此剧中是个自作多情的角色，瓦格纳正是要用这种配器效果来刻画他。

　　作曲家应该精通配器，为此也就必须对各种管弦乐器的性能、演奏效果有所了解，但总归不如那些专业演奏者那么熟悉他们的手中武器。所以听听他们的意见也是必要的。有的作曲家写的管弦乐曲，其中有些乐器声部写得别扭，演奏者受罪，效果也不佳，恐怕就是没有听听乐手意见之故。

　　这个汉斯·里希特可不是个无名之辈。后来他成了乐史中有名的大指挥家，特别擅长演释瓦格纳的作品。

尼采硬要瓦格纳弹勃拉姆斯

　　尼采在 1874 年间曾告诉人："那个暴君，除了他自己，不承认其他人的个性。"

　　尼采听了勃拉姆斯所作的一首《凯旋之歌》以后，把谱子带到拜罗伊特，把它放到瓦格纳的钢琴谱架子上，一定要瓦格纳弹，不把全部谱子弹一遍，就不让他当时仍然崇拜的这位大师安静。他当然很清楚，瓦格纳是憎恶勃拉姆斯的音乐的。他这个恶作剧必定把瓦格纳弄得十分尴尬是不问可知的。

　　两大帮信徒，各拥一位教主，摇旗呐喊，互相攻击，明枪暗箭一齐来：这便是 19 世纪中叶以后瓦格纳 – 勃拉姆斯两派之争的画面。拥瓦者必反勃，反之亦然。既有艺术主张上的分歧，也有其他问题上的恩怨和意气之争，在音乐史上，这并不是太光彩的一页。但在"教主"两方，情况并不一样。瓦格纳是飞扬跋扈，带头对敌方冷嘲热讽，自以为得意，例如他有一次自夸其作品之美，说什么"这可是勃拉姆斯班子里的人写不出的"。

　　勃拉姆斯那一派中也有很霸道的，音乐美学家和评论家汉斯力克是突出的一个。他也不时地发表评论，对瓦格纳痛加鞭挞，言辞尖刻，笔下毫不留情。这当然把瓦格纳激怒了。在《纽伦堡的名歌手》中，那个受到嘲弄的人物贝克麦赛，就是影射他的。这有据可查，《名歌手》比较早的两稿中，此角的名字干脆就叫"汉斯力克"。

　　但是勃拉姆斯这个人同瓦格纳的气质完全不同。这正像他们两人的音乐风格那样迥然不同，勃拉姆斯虽被人拥戴为"教父"，其实谨厚内敛的他并不乐于卷到这种漩涡中去。即使是那个把他的旗帜举得高高的理论家汉斯力克，勃拉姆斯对他的音乐观点也不大赞成，不过也只是在同他的友好书信往来中表示过而已。

拜罗伊特剧院拾零

　　拜罗伊特剧院是专为演出瓦格纳的作品而建造而存在的。瓦格纳苦心策划、设计、经之营之，对如何演出、使舞台效果和场内秩序最能令人满意，他也有种种具体交代，后人一一遵照办理，不敢擅改。大有中国"文革"中演出"样板戏中点点滴滴都不许走样"的味道。

　　当时其他地方的剧场，舞台大幕是拉起落下的。拜罗伊特与众不同，不用起落，而是两边分开和合拢的。这件事还是经过一番考虑才确定的。

　　本来，返场谢幕已成剧场演出惯例。但是也有许多人对这件事很讨厌，因为这样做往往会打断演出的连贯性，破坏整体的完整，也干扰演员的情绪和安静。也许，有些戏剧家和演员并不反对，反而喜欢它可以鼓舞精神吧？但真正严肃认真对待艺术创造的艺术家，更愿意同观众于会心默契的宁静气氛中共享美的感受。柏辽兹、威尔第都对掌声如雷、彩声大作听不入耳，反而皱起眉头。

瓦格纳也是极爱惜自己作品的艺术效果的，虽说他并不是什么不慕虚荣的人物。他也讨厌返场谢幕这种俗套，为此还曾向公众发布启事，请大家免了，也不必为此介意。启事中说得有道理：……假如作者和演员不返场道谢的话，他们也就不至于被看见忽然从虚拟的舞台画面中跑了出来了。

这也说得很有意思。瓦格纳并不像后来的比较新派的戏剧家，不但不怕打破了那舞台同观众之间的界限，还故意地让舞台伸向观众，观众闯入剧中；瓦格纳为了制造一个似实还虚的艺术空间，还精心设计了乐池。那也是拜罗伊特所独有的，观众看不见乐队，乐池低于观众席，上面还被遮蔽了。演出开始，场内灯光灭了，乐声仿佛从地底下升起，形成一道"声幕"，挡在舞台与观众之间，像是如今舞台上的纱幕，却比纱幕更朦胧而玄秘吧？因为瓦格纳乐剧中的管弦乐不同于传统歌剧，剧中与台上的种种非语言、动作与布景、道具所能充分表达的内容，都由乐队来交代。如此它也就像是古希腊舞台上的合唱队那种角色了。

但返场谢幕虽然被谢绝，演出中间的鼓掌他还是宽容了。他不曾连这也禁止，只是要大家理解，不必指望作者、演员从舞台框子中间跑出来谢幕，以真破幻，煞了风景罢了。

就在隆重举行拜罗伊特演出节目之时，他在台下特地站了起来，郑重声明此意，同时带头向台上的演员鼓了掌。

从此，拜罗伊特有了一种鼓掌的传统规矩：

第一幕后，肃静无哗。

第二、三幕后，鼓掌。此时，大幕分开，展示舞台面，那也是很耐赏玩的一张巨幅画，精心绘制出来的。

当然，没有人出来谢幕。

这也是那些不忍离座夺门，沉浸于余音绕梁中的文明观众所喜欢的。

雾魔梦想成真

　　瓦格纳的《尼伯龙根的指环》，情节非常复杂，三言两语说不清楚。剧中的主要角色是雾魔阿尔贝里希和诸神之王弗旦。阿尔贝里希这个侏儒野心极大。他从莱茵河中水仙们手中拿走了黄金，铸成指环，靠着这有魔法的指环，他想成为世界的主人。然而这法宝又被既贪又诡的弗旦夺走，利用它驱使巨人族为他建造了天宫。众神住进天宫，过着荒淫的生活。

　　瓦格纳到了英国伦敦，乘着汽轮在泰晤士河上游览，不觉失声惊叹：这不就是阿尔贝里希梦想的事吗！统治全世界……而且到处是令人窒息的煤烟雾气！

　　这真是意味深长的场面！19世纪的大英帝国号称太阳不落的国土，俨然成了世界霸主。炮舰开路，商船把货物、鸦片运到全球各地。然后把一船又一船的黄金搬到了英国。真也像是有什么法力无边的"指环"似的。世界之都的伦敦，皇家贵族和巨富们的宅邸富丽堂皇，真像舞台上弗旦领着众神，踩着彩虹天桥走进去的那座瓦尔哈拉天宫。

然而这座大城是"罪恶的大城",英国诗人布莱克有一首小诗诅咒了这座"罪恶的大城"。

《尼伯龙根的指环》中演的那些人物尽是北欧神话、史诗和民间传说中的神、妖、人，情节看上去是离奇荒诞的。不过神界的人与事是人间的曲折反映，瓦格纳的构思也不可能超越他对现实社会生活的感受。泰晤士河上的一声惊叹正好为《指环》的观众提供了联想、对照与思考的线索。

双雄可并立

　　瓦格纳和威尔第是并世双雄。瓦格纳破歌剧传统，立他所理想的乐剧，当然了不起；威尔第敢于顶着风靡一世的瓦格纳新潮，仍旧写他的意大利式歌剧而又突破前人窠臼，也着实不简单。朗在其《西方文明中的音乐》一书中，是把他放在《反潮流》一章中来评论的。

　　他同他的竞争者都是 1813 年生的，两个同龄人在成功之路上都举步维艰。瓦格纳第一部成功的歌剧《漂泊的荷兰人》首演于 1843 年，威尔第第一部成功之作《纳布科》是 1842 年上演的。那时这一双难兄难弟都已经是三十岁左右的人了。

　　瓦格纳看不起的人多得很，威尔第也是其中之一。这是毫不奇怪的。同行冤家，何况都是干歌剧的，而所走的路南辕而北辙！

　　据说瓦格纳常常在钢琴上弹出《茶花女》中人物，阿尔芒之父唱的咏叹调来作例子，嘲讽意大利歌剧的差劲。然而另一方从来没有发过什么反唇相讥之言。

最倒霉的是，不管威尔第是怎样的不理会瓦格纳乐剧的强大影响，走自己的路，一帮无聊的论客却硬是要从他的作品中找出有心模仿的例子来。所以有的批评家说他"吃尽了瓦格纳的苦头"。

不公正的事反过来证明了威尔第为人的正直。1883年，这两位歌剧大师恰巧都在意大利。他在热那亚，另一个在威尼斯，后者就在该地猝然结束了他那不平凡的一生，那遗留在寓所桌子上的纸片，也笔迹潦草难以辨认，看得出的只不过两个词："爱——悲剧。"这也便成了瓦格纳的绝笔。

何以说威尔第是正直的人呢？——从报上见到此讯，七十三岁高龄的他便函告他的知己也是他的出版商里科尔第之子："伤心伤心伤心！瓦格纳死了！……一个伟大人物去了，一个将留下强有力的印象的名字。"

把用发抖的笔迹写的信重看一遍之后，涂掉了"强有力的"，改写成"最强有力的"。

这封信，特别是一涂一改，岂不是在这种重大时刻（消失了一个强大的对手，而此人又是轻视他的）现出了一颗不怀成见、不计个人恩怨的善良的心！

对于我们喜欢音乐的人，这封信中的语言文字也有值得多谈几句的地方。

信中一开头不加标点连说三声的"伤心"，意大利文是

"triste"，是伤心、悲惨的意思。大家熟知的西贝柳斯的《悲伤的圆舞曲》，原文就是与意文相似的 *Valse Triste*。

涂了又改写的"强有力的"，原文是"Potent"，"最强有力的"则是"Potentissima"，这正是乐谱上常用的表情术语。

不过可别误会，并非威尔第有意使用音乐行话，相反，自从几个世纪以来，由于意大利音乐的强大影响，欧洲人在乐谱上使用意大利语，已成了习惯。威尔第在这里不过是在使用自己的母语罢了。

布鲁克纳求见瓦格纳

瓦格纳在其《论未来的音乐》一文中认为，贝多芬的《第九交响曲》是交响音乐的终结，意思是贝多芬已经把这种音乐艺术发展到了顶点，用尽了其中的可能，后来者再写也是白费气力了。他本人毕生也只写了两部交响曲。

但是他后来显然又觉得这看法太绝对，在交响乐领域中还是可以有所作为的。他晚年就曾有过再写一部交响曲的念头。

更可证明他改变看法的是他对布鲁克纳的赏识。他说过：我只知道有个人是接近于贝多芬的，他便是布鲁克纳。

布鲁克纳一生写了十部交响曲。他虽然并不写歌剧，却对瓦格纳的作品极其崇拜。然而据说他在看瓦格纳的乐剧时，并不看那台上的戏，只是倾听剧中的音乐。他那篇幅奇长的交响曲是所谓"无标题"的纯音乐，然而在许多人听起来又像是没有舞台形象的瓦格纳乐剧。这都是很令人感兴趣的现象。

这个土里土气的老实人，同他所崇拜得五体投地的大宗师之间的初次见面是值得一说的。

据他自己说，1873 年 9 月，他登门求见，请瓦格纳看一下自己的《第二交响曲》和《第三交响曲》的谱稿。大师不看，说是没空，此刻连《指环》这样的大事都暂时放下了。

布鲁克纳求他哪怕只看一下其中那些主题也就可以了解作品的实质如何了。这时，大师拍拍他的肩膀，召之入室。

先看了一下《第二交响曲》，"很好"。但大师又感到它有点平淡，没劲。

接着又拿起《第三交响曲》，一看便叫道："且慢，——嗯——啊！"于是把那个主要由小号奏出的第一部分注意看了，然后便开口道："放在这里，我要仔细看看。"

大师邀他当晚再去一谈。到时，瓦格纳告诉布鲁克纳这两部作品给了他很大的愉快。

瓦格纳那高不可攀的架子，以及他毕竟是一个识货知音的大师，都从这件事中得到了反映。

可写可不写的"标题"

《齐格弗里德牧歌》这篇乐曲可以说是瓦格纳所作乐剧之外的杰作，虽然篇幅不长而且所用的只是一个小小的乐队。

何以取这个曲题？齐格弗里德是他那部庞大乐剧《尼伯龙根的指环》中第三部《齐格弗里德》的主人公。《牧歌》中采用了剧中的主题。另外还有个原因，此曲是为纪念他儿子诞生而写，儿子也被命名为齐格弗里德。

他妻子科西玛的日记上记着：

当她于圣诞节之夜的次晨一觉醒来，忽然听到乐声，越听越有味。曲终之后，瓦格纳走进房来，把一份手写的曲谱递到她面前。那便是这篇作品。她听到的乐声是瓦格纳同若干友人凑合起来的一支小乐队悄悄地排练出来的。

本书中另一文中提到的那个圆号手里希特，在这临时乐队中临时学吹小号，但他把曲中那段模仿鸟叫的音乐吹得妙绝，令人倾耳神移。

　　瓦格纳钟爱自己的这篇作品，曾告诉人："这在我的作品中是唯一的一首我能够从头到尾写一篇'标题'的。"（此处的"标题"是所谓"标题音乐"的"标题"，也就是文字说明。）

　　这话中的含意，比较了解瓦格纳同科西玛之间的爱情史的人是不难领会的。他们两人的感情生活中的共同体验都交织于音乐之中了。对他们自己来说，并不需要再添什么"标题"的蛇足。对于局外人呢，也不一定需要。因为这篇音乐的牧歌意境极美，当"纯音乐"来欣赏已经很够味了。

德彪西发现卓别林

　　《卓别林自传》中的这段记载，我相信只要是对这两个名字都有好感和敬意的爱好者，都会感到莫大的兴趣。时间在1909年，地点在巴黎。年方二十的卓别林当时搭了一个英国戏班子上那里去演出。

　　一天晚上，戏院里的翻译忽然来找他这个还没什么名气的小演员，说是有位名音乐家要见见他。问他是否愿意到那位先生的包厢里去。

　　卓别林去了。包厢里那位名音乐家说自己很欣赏他的表演，但是并没想到他是这样年轻。

　　听了这话，卓别林很有礼貌地向那位先生鞠躬。但是除了满脸陪笑以外，再没有什么话可以回答对方的称赞。于是他望了望带他来的翻译，恭恭敬敬地再向音乐家鞠了一躬。

　　音乐家站起身来，向他伸出了手。

　　"可不是吗，"音乐家握着年轻人的手说，"您是一位真正的艺术家。"

同翻译一起离开包厢后，卓别林问："那位先生是谁？"

"德彪西，大名鼎鼎的作曲家。"

"我从来没听到过这个名字。"

德彪西巨眼识真材，看出了卓别林的不凡，固然令人对这件事感兴趣，我们还可以借此增加一些乐史感。

德彪西是以《牧神午后前奏曲》一举成名的，那是1894年的事，这种印象派音乐，真正是令人耳目一新，打开了人们的眼界。当然也有很多听不惯喝倒彩的。到了卓别林见到他的1909年，德彪西已经又接连发表了一批杰作，如《大海》《三首夜曲》等等，确实像那当翻译的所介绍的"大名鼎鼎"了。

为什么卓别林又从未听到他的大名呢？这大概同卓别林在此之前都没走出他的故乡英国有点关系。英国从前同欧洲大陆上的风气不大一样，新兴的音乐作品在英国常常不受欢迎，反而遭到反对，也就是在1909年，《牧神午后前奏曲》在英国的音乐会中演出，不但响起了一片喝倒彩之声，许多听众竟拂袖而去。要知道这距离它在法国首演，时光已经有十五年了！

卓别林反手拉提琴

一个音乐爱好者如果同时又是卓别林的崇拜者，那他就不该不知道，这位伟大的丑角不但也爱好音乐，并且可以称得上是个行家。在成名之前，为了谋生，他去美国参加一个巡回演出的剧团，这种四处奔波跑码头的生涯是既不安静又很辛苦的，但是他还随身带着小提琴和大提琴。自从十六岁起，他每天都要在卧室里练四小时至六小时的琴。每星期他都要去请戏院里的乐队指挥或者其他音乐家教他。

奇特的是，卓别林拉提琴是用右手按弦左手拉弓的，和正常的拉奏方式刚好相反。而要如此反着拉，琴上的弦线也必须反过来装。本来四根琴弦是低音靠左，高音靠右的，现在要换个方向。更麻烦的是还要把那架琴的琴身打开，改造一下，把"魂柱"和"沉音杆"也调换位置。"魂柱"就是琴上在琴马右脚下撑在腹背两板之间的那根细细的小棍子。"沉音杆"又叫"低音梁"，紧贴在琴马左脚下的腹板里面。这两个小东西都是影响一把提琴音质好坏的关键，也不是任意安在那一左一右的位置上的。

如此认真苦练，他是想将来到乐团里坐在首席上。不得已而求其次的话，就去轻歌舞剧团里拉琴。后来意识到自己干这一行不可能出人头地，他才放弃了这念头。

人们当然会想，宁愿这个世界上少一个首席小提琴手，也不能没有"伟大的丑角"。首席小提琴手还是可以训练出来的。戏剧家卓别林只此一人。

卓别林并不仅仅是演员，许多杰作是他编、导、演一手包办。不仅如此，连配乐也是他包了。

大概也因为戏和音乐都从同一个脑袋里出来，有时还是自编自唱，所以那综合的效果要比几个人凑合的更为契合。比如《摩登时代》中演跑堂的他，临时出场演唱滑稽小调那一场，编、做、唱三合一，成了独角"三重奏"！

他听得多，而又有自己的鉴赏力——比如，他对里姆斯基－科萨科夫的《天方夜谭》组曲，便嫌它重复话太多。确实打中了这位大师的痛处。正因闻多识广，编制影片中的配乐，他常常引用名作而加以漫画化，同喜剧、闹剧、剧情配合得妙不可言。例如《大独裁者》中有个理发师给一个顾客刮脸的场面。你一听便听出配的是勃拉姆斯那首最流行的《匈牙利舞曲》。此曲中部，音乐突快突慢，对比强烈。他又把它弄得分外夸张，同理发师的舞蹈化动作与顾客神经质的惊慌失措的表情相配合，便使这个场面成了令人喷饭的笑剧。

戴高乐不排斥瓦格纳

二战中，在法国惨败于德国纳粹的闪电战之后，毅然不屈、组织反法西斯抗争的戴高乐，是个音乐爱好者。

他自己告诉采访者："我很喜欢音乐，一到晚上，我常听音乐……我喜欢贝多芬甚于莫扎特。虽然我也还非常喜欢舒曼和舒伯特。有时——我是说有时，也喜欢瓦格纳。我还得承认，自己喜欢19世纪法国的音乐，如德彪西、德利布。我喜欢音乐，追求着音乐，渴望音乐。"

虽然他对音乐如此喜欢，十六岁以前还在家里学弹过钢琴，但并没学出名堂来，后来也就丢开了。

不妨注意比较一下，戴高乐也喜欢瓦格纳，虽然只是"有时"，而且，贝多芬、舒曼也都是德国人。但他的死对头希特勒却是只喜欢德国音乐的，甚至因为门德尔松是犹太血统，作品就被禁演了。希特勒为什么特别钟爱瓦格纳的作品，似乎也同瓦氏的反犹太倾向有点关系。

因为种族、文化不同，就不能互相欣赏彼此的音乐吗？有不少这方面的例子很有意思，颇可发人深思。因为，一方面，音乐似乎确是一种"世界语"，贝多芬《第九交响曲》中的《欢乐颂》，虽说是天真的理想主义，但它能诉之于亿万生灵的心灵，共同感奋，那是没有疑问的。美国黑人杜波伊斯这位争取和平的战士，当他临终之时，还唱起了《欢乐颂》中那支主题。

另一方面，往往又因为种种原因，有时是人为的原因，影响了人们对音乐的接受，形成了隔膜和偏见。

19世纪普法战争爆发后，以及20世纪第一次世界大战中，法国音乐家，以圣－桑为首，对德国人写的音乐作品进行了抵制。

更荒谬可笑的是，第一次大战时，英国有些人连贝多芬的作品也不演奏了。头脑清醒的人对此并不愿苟同。萧伯纳当时便写了言辞锋利的文章，抨击了这种态度。

德彪西的作品，深深植根于法兰西民族的文化传统。如果演奏者不是法国人，要深刻地体验、表达它，的确很不容易，但演奏德彪西钢琴作品的权威中，却有一个吉塞金。然而他是个德国人。

还可以举个例子，肖邦写的《马祖卡舞曲》最富于他祖国波兰的泥土气息了。钢琴大师阿图尔·鲁宾斯坦（也是波兰出生的）在他回忆中提到，有些外国钢琴家到了波兰，一弹起肖邦的这些作品，听的人都掩口胡卢，就因为味道不对。

　　然而这又不那么绝对，中国人傅聪，参加以肖邦为名的钢琴国际大赛，得了第二奖，还拿了个演奏《马祖卡舞曲》的优异奖。[1]

1　此处作者所说的傅聪所获奖项，可能是当时媒体传播下的一种信息误导。傅聪在第五届肖邦国际钢琴比赛中获第三名和马祖卡最佳演奏奖。

希特勒嗜爱瓦格纳

　　1939 年，有几个德国资本家为希特勒过五十岁生日向其祝寿，送他一个保险箱，箱里装着瓦格纳的手稿。其中有《黎恩济》《莱茵的黄金》《女武神》等乐剧的乐谱。《众神的黄昏》的手稿尤其使他激动，他一页一页地翻给在场的客人们看，并且还作出有见地的评论。亲信鲍曼不失时机地告诉他，这一份礼品的价值几乎要百万马克。

　　1943 年他过生日的那天，作为对这天晚上的一种特别款待，他按了按一个发信号的电钮，找来他的亲信鲍曼，希望听到在鲍曼的唱机上放《风流寡妇》。

　　以上是法西斯战犯之一斯佩尔记在他的《狱中日记》中的回忆。此人也曾是希特勒的左右手，主要替他抓军火工业，也便是大规模的杀人工业了。后来他不想干了，甚至认真策划过暗杀，想把希特勒干掉。此事未成，他却又主动去把一切向希特勒坦白了。

　　希魔喜欢音乐，而且不是一般的喜欢，也并非像有些暴君那样以附庸风雅来打扮自己。他特别嗜好的是瓦格纳的作品，上文所提到的情景是很好的说明。《风流寡妇》是一部轻歌剧，作曲者是奥地利人莱哈，而希特勒本人便是奥地利人。

　　大独裁者爱好音乐，这的确是一个相当复杂的现象。有时这简直叫人对他所喜爱的作品的价值产生了怀疑。不过，可以相信的是，不论他有多高的学识、文化素养，暴君总归是暴君。人们倒可以从中得到提醒，不受类似现象的迷惑。

　　美好的音乐，被人民所憎者享受，这是对音乐的侮辱，真心爱乐者对此只能感到恶心、愤怒，但这对于真正伟大的音乐作品是无损的。

相对论诞生在键盘上

　　并非硬要把相对论同钢琴拉到一起做什么搭题文章。这里有个卓别林亲耳听到爱因斯坦夫人讲的故事。

　　1926 年，卓别林在美国加州见到了爱因斯坦，伟大的科学家是来那儿讲学的。这场会面是他主动提出的。

　　在随后举行的家常小宴上，爱因斯坦夫人谈了她丈夫发明相对论那天早上的情景：

　　"博士像往常一样，穿着他的睡衣，从楼上下来吃早餐，那天他几乎什么也不吃，我问他哪儿不舒服。他说：'亲爱的，我有一个惊人的想法。'接着，他喝完咖啡就走到钢琴跟前，弹起琴来，时而弹几下，时而停一会儿，在纸上记下一些什么，然后重复说：'我有一个惊人的想法。一个绝妙的想法！'"

　　夫人告诉卓别林，说他怎样继续弹琴，有时又记下一些什么。"大约经过了半个小时，他回到楼上书房里，此后就在楼上待了两星期。一天，他走下来：'喏，就是这个。'一面疲倦地把两张纸放在桌上。那就是他发明的相对论。"

这位大科学家心爱的乐器是小提琴。不但自己一个人拉，而且极愿同别人拉四重奏。无奈他虽从儿时便弄这乐器，可是基本功不行，本来就容易害羞的他，唯恐别人嫌他跟不上扫了大家的兴，每遇到这种场合，他是又高兴又胆怯，怪可怜的！

这是一部爱因斯坦传记中的说法。卓别林的记述更为动人，因为他是现场见证人。1937年爱因斯坦旧地重游又来访他，是同三位音乐家一起来的。

"饭后我们要演奏一曲给您听。"

那天晚上他参加拉了莫扎特的四重奏，虽然他弓法不大娴熟，技巧有点生硬。但是演奏时露出了狂喜的神情，闭拢了眼睛，摇晃着身子。

卓别林发现，三位音乐家对教授的参加并不表示十分欢迎，都委婉地劝他休息一会儿，由他们三人另奏几首曲子。教授同意了，和大家一起坐在那儿听。奏了几曲之后，他悄悄地问卓别林："我什么时候再演奏呀？"……音乐家们离去以后，教授夫人安慰他："你演奏得比他们哪个都好！"

这真是有趣、可爱而又令人感动！卓别林是苦练过小提琴的，他的评论不会不公道。然而我敢认为，人们一定很想听听爱因斯坦那生硬但又如此投入的演奏，并将这引为毕生难忘的耳福吧？

音乐家改行研究天文

赫歇尔[1]这位天文学家，科学史上有他的大名。太阳系九大行星中那颗天王星的发现，要归功于他。

但他的大名也上了音乐词典。原来他是搞音乐这一行的，在王室卫队的乐队中吹单簧管。后来又当了管风琴手。也会作曲，写了交响曲、协奏曲等体裁的作品。

要作曲就得研究声学，这又使他对数学发生了兴趣，最后终于放弃音乐，搞起天文学来，成为英王宫廷天文学家。这国王乔治三世曾拨款两千英镑，叫他去造了一架当时最大的天文望远镜。

他把自己的妹妹训练成了歌手，唱神剧[2]很受欢迎。他那

1　弗里德里希·威廉·赫歇尔（Friedrich Wilhelm Herschel，1738—1822），英国天文学家，古典作曲家、音乐家。恒星天文学的创始人，被誉为"恒星天文学之父"。

2　Oratorio，是一种大型音乐作品，通常同时使用管弦乐团、独唱家及合唱团。

训练方法怪得很，要他的妹妹在嘴里头衔着一个有点像马嚼子的东西练，而练唱的教材却是小提琴协奏曲中独奏的谱子。

这位名字叫卡罗琳的妹妹，后来很不情愿地接受了另一种训练，当了她哥哥的天文工作的助手。

她同样有所发现：八颗小行星，其中之一被命名为"卡罗琳"。

图书在版编目（CIP）数据

请赴音乐的盛宴 / 辛丰年著；严锋编. －上海：上海音乐出版社，2023.8

（辛丰年文集：卷三）
ISBN 978-7-5523-2652-9

Ⅰ.请… Ⅱ.①辛… ②严… Ⅲ.①古典音乐－音乐欣赏－世界 Ⅳ.J605.1

中国国家版本馆 CIP 数据核字（2023）第 124528 号

书　　名：请赴音乐的盛宴
著　　者：辛丰年
编　　者：严　锋

版权代理：学人文文化
责任编辑：王嘉珮　李　琼
责任校对：满月明
封面设计：金　泉

出版：上海世纪出版集团　上海市闵行区号景路 159 弄　201101
　　　上海音乐出版社　上海市闵行区号景路 159 弄 A 座 6F　201101
网址：www.ewen.co
　　　www.smph.cn
发行：上海音乐出版社
印订：上海雅昌艺术印刷有限公司
开本：889×1194　1/32　印张：7.25　插页：3　字数：133 千字
2023 年 8 月第 1 版　2023 年 8 月第 1 次印刷
ISBN 978-7-5523-2652-9/J · 2455
定价：55.00 元

读者服务热线：(021) 53201888　印装质量热线：(021) 64310542
反盗版热线：(021) 64734302　　(021) 53203663